7カ国語をモノにした人の勉強法

橋本陽介

本書は2013年8月に出版された祥伝社新書『7カ国語をモノにした人の勉強法』を文庫化したものです。

序文——文庫版刊行に向けて

私にとって最初の著書となった『7カ国語をモノにした人の勉強法』が出版されて、早くも5年が経過した。

この間には、2020年の東京オリンピック開催も決まったし、中国人観光客の爆買いブームなども話題となった。文部科学省は2014年から「スーパーグローバル大学」という事業を始め、上位大学のグローバール化推進を目指しているし、外国人労働者の受け入れも検討されている。多文化共生、多文化理解の重要さは高まるばかりだろう。

外国語教育の面では、小学校での英語教育が始まった。中学、高校でも、「英語で英語を教える」ことを基本にするようにと言っている。従来の「読む、書く」だけでなく、「話す、聞く」を含めた四技能が重視されるようになった。まだ不透明であるが、入試制度も大きく変わろうとしている。

本書は、従来型の学習で何年勉強しても、外国語ができるようになった気がしないという学習者を想定して執筆した。特に、「話す」「聞く」を含めた実用的な外国語運用能力をどのようにして伸ばすべきか、という観点を中心にしている。

外国語を取り巻く環境は変わっていくが、習得のための原理原則は変わらない。その原則とは、

①音声を覚えること

②その言葉がいつ、どこで、どのように使われているのかを覚えること

③能動的学習を追加すること

の3点にまとめることができる。本書の中では外国語の「語感」を習得することについて、繰り返し述べているが、その「語感」とは、音声を覚えること、その音声と世界とをつなげることによって養成されるものである。

本書は、外国語の学習方法を説く体裁をとってはいるが、単なるハウツー本にはなっていない。私は広く言葉の問題を研究しているものであり、言葉の持つ魅力をおもしろく、できるだけ深く掘り下げて書きたいと思っていたためである。

幸いにして、多くの読者に外国語の学習法を知ると同時に、「言葉の面白さ」を感じ取ってもらうことができた。今回の文庫化によって、さらに多くの人に読まれることを願う。

はじめに

ここに2つの英文があります。

He completely denied it.
He denied it completely.

皆さんは、この2つの文のニュアンスの違いを説明することができますか。「どちらも、『彼はそれを完全に否定した』じゃないか」と思われるかもしれません。あるいは、「学校の授業では、そんなことは教えてくれなかった」という人がほとんどでしょう。

答えは、のちほど説明しますが、ニュアンスを把握できない理由は簡単です。なぜなら、この英語のニュアンスの違いを、日本語で表わすことができないからです。

日本の語学教育は、中学から大学まで一貫して行なわれています。それでも、外国語が自由に使いこなせるのは依然として一部の「特権的」な人たちに限られています(あるいは、限られていると考えられています)。

外国語を「母語(ぼご)」のように自由に操(あやつ)れるのは、長期の留学経験者や帰国子女、インターナショナルスクール出身者、きわめてすぐれた言語的才能の持ち主などといった「特殊な人たち」であり、ごく一般的な人たちにとって、それは夢のような話とされてきました。

一流と呼ばれている大学の出身者であっても、初級の英語すら自由に使えない人たちが大多数ですし、第2外国語となると、多くの大学で必修課目になっているにもかかわらず、基本的なことさえ理解できていない人がいます。

私はこれまで言葉と文学に関する研究を行ないつつ、数多くの外国語を学んできました。母語である日本語の他に、中国語、英語、フランス語、ドイツ語、スペイン語、ロシア語を習得し、まだ習得には至りませんが、韓国語などを学んでいます。現在は、慶應義塾大学で中国語を、母校である高校では国語を教えています。

いまでこそ「言語マニア」のような扱いを受けている私ですが、小、中学校は一般的な公立ですし、周囲には英語を話せる人すら皆無でした。ですから当時は、将来になって外国語が自由に使えるようになるとは、まったく考えてもいませんでした。

そんななか、転機が訪れたのは高校2年のときでした。中国の古典文学に興味を持つようになった私は、世間の「英語中心主義」に対する反発もあって、本格的に中国語を学びはじめました。お遊び程度の授業はあったのですが、NHK のラジオ講座での独学でした。

そして3年生の夏休みに、当時お世話になっていた中国人の先生の招きで、北京のとある大学の留学生寮に夏休みの40日間、滞在する機会をいただきました。最初の数日は父親が一緒について来てくれ、先生もサポートしてくれましたが、父親が数日で帰国すると、初の海外にほぼひとりで放置される状態となったのです。

文字通り右往左往することになりました。まず食事がたいへんです。現地のレストランや食堂に入ると、怖そうなウエイトレスがメニューを机に投げ捨て、早口で何かをまくしたててきます。勢いに押されて適当に頷くと、もう注文が決まってしまっていました。

もちろんメニューには漢字しか書いておらず、読むのが難しいばかりか、ウエイトレスはたいがいイライラした様子で隣に立っているので、そのプレッシャーは尋常ならないものがあります。北京には小皿料理という習慣がなかったので、注文したらしたで、とんでもない量の料理が運ばれてきます。食事の時間が憂鬱で仕方ありませんでした。

その他にも、わからないことだらけなのですが、中国人に何か聞こうものなら、「アー」と喧嘩(けんか)を売っているように返されるのです。これは、中国語では普通の返答法なのですが、だんだん口を開くのが怖くなりました。それでも何とかサバイバルしなくてはなりません。

人間の適応能力というものは、バカにならないものです。そのうちに心の余裕が生まれてくると、会話も自然とつながるようになりました。言葉がある程度わかると、バスの中で何ごとか大きな声で迫(せま)ってくるおばちゃんも、実は怒っているのではなく、不慣れな外国人の若者を助けようとしてくれていたことがわかってきました。気がつくと、夏休みの後半には中国語で話すことができるようになっていました。

外国語で話すということは、こういう感覚なのだということが、このときにつかめたのでした。すると、それまでの英語から始まった自分の語学学習の方法が、まったくダメなものだったということがわかりました。

もちろんわずか40日間で身についた語彙(ごい)や表現の絶対的な量には限りがあったわけですが、言葉を学んでいくコツというか、観念のようなものができあがったので、それからも中国語の能力はどんどん伸びました。

この北京での40日間がなかったら、私は何年勉強しても上級レベルに上がることができないままだったかもしれません。このキッカケがなければ、何十年勉強しても、一緒だったと思います。

大学に進んだのちも、私は貪欲(どんよく)に言語を学びつづけていました。最初のうちは必修だったこともあって、さまざまな授業に出ましたが、不満が募(つの)るばかりでした。大学の言語教育に絶望すると、ほとんど出席もしなくなり、成績もギリギリのところで単位を取るだけになります。

それからは、勉強はもっぱら独学で続けました。授業に全部出て、従順に教師のやり方と向き合い、優秀な成績を収めた同級生たちの語学学習が、ほとんど無意味に終わる中で、私は7カ国語を習得し、現在もまだ毎日学習を続けることができています。

この違いは、何からもたらされたのでしょうか。

たいへん残念なことですが、日本の語学教育は中等教育(あるいは初等教育)から始まって大学に至るまで、**語学のできない人たちが語学のできない人たちを再生産するシステム**になっているのです。

本当に語学を身につけたいのであれば、どこかでこの負のループから抜け出さなくてはなりません。はっきり言ってしまえば、おおかたの学校の授業なんて、教師が授業をやったという既成事実をつくっているだけにすぎません。本に書いてあることを読み上げるしかできないような教師にかぎって、従順さを要求します。

しかし語学は、実際にやってみると、1年から2年もあれば十分に使えるレベルに達するものであり（もちろん上を見ればキリがありませんが）、それでも形にならないのであれば、何年同じように勉強してもできるようにはなりません。つまり中学、高校、大学の教養課程と8年間やっても喋(しゃべ)れない人は、同じ方法であと10年やっても喋れるようにはなりません。

日本で「一般的」というのは、「語学ができない」という意味ですから、そのシステムにいくら従っても、できるようにならないのは当たり前です。

高校3年までの私は他の高校生と同じように勉強し、同じようにできるようになりませんでした。中学、高校と、私よりもはるかに理解力のある生徒や、すらすらと単語を記憶してしまう生徒たちはたくさんいました。しかし、結果として、私が7カ国語を習得することができたのは、「語学のできない人たちが語学のできない人たちを再生産するシステム」に気づくことができたからです。

その気づきから、試行錯誤を続けた結果、外国語ができるようになる人とできるようにならない人とでは何が違うのかがわかるようになりました。

言葉を習得するために必要な言語観とは、いかなるものなのでしょうか。

中学や高校はもちろん、最近の大学は、教師の好き勝手に授業をやらせてくれません。そこで、「こんなことをやっていても、できるようにならないよ」という話を時おりしています。すると、生徒たちからは即座に、「できるようになるための話をもっと聞きたい」という声があがります。できるようになりたければ、授業に頼っていてはダメなのです。

そこで、個人的な語学学習の経験、そしてこれまでの言語研究から得た、言語を習得するための言語学的な理論を伝えようと、本書を著わすことにしました。

少なくともひとつの外国語を習得したいと考えている人、さらには複数の言語を習得したいと思っている人のために書かれたものですが、外国語と比較する形で、私たちが普段使用している日本語の特徴についても述べています。

日本語もまた、数ある言語のうちのひとつです。外国語に対する認識が深まるということは、日本語に対する認識が深まることでもあると思います。逆に、日本語のことをよく知ることは、外国語について知ることにもつながります。母校で受け持っている国語の授業では、できるだけ言語としての日本語について、理解を深めてもらえるように努力しています。

私は言葉が大好きです。やはり言葉そのものに興味がわくかどうかというのが、語学学習の最重要ポイントでしょう。本書を読まれたみなさんが、言葉に興味を持っていただけるようになれば、著者としてこれにまさる喜びはありません。

2013年7月

橋本陽介（はしもとようすけ）

目次——7カ国語をモノにした人の勉強法

第1章
外国語ができる
ということ

●外国語で話すという感覚

母語と外国語

私たちは、将来用いることになる言語を知らないうちに習得してしまっています。小さな子どもは環境が与えられるだけでその言葉が喋(しゃべ)れるようになるのです。これが「母語」です。

そして、小学校の低学年くらいまでならば、母語の書きかえが可能だということがわかっています。例えば、5歳くらいまで日本で過ごし、いったん日本語を習得したとしても、小学校の低学年くらいまでにアメリカなどに渡り、英語だけの言語環境におかれると、母語が日本語から英語に書きかえられてしまうのです。この「書きかえ」という点がミソで、この場合、最初に習得した日本語はほぼ完全に忘れてしまいます。

私は高校3年のとき、中国人の先生の招きで北京に40日間滞在しました。先生には息子さんが2人いましたが、2人とも日本生まれだったので、両親ともに中国人でありながら日本語しか喋れませんでした。当時、上の子が小学校2年生、下の子は5歳くらいだったと思います。2人はこの年齢から中国で暮らすことになったわけですが、最初のうちは中国語がひとこともわからないので、学校でたいへん苦労しているという話を聞いていました。

ところが、数年後に再会したところ、2人とも中国語しか話さなくなっているではありませんか。上の子はわずかに日本語を覚えているようでしたが、下の子は完全に中国語しか使えなくなっていたのです。

母語が書きかえられているときに、いったい頭の中がどのようになっているのか、一度詳しく教えてほしいのですが、そういう経験をした人は、誰もが「よくわからない」と言います。知らないうちに、そうなっているということでした。

いずれにせよ、小学校高学年くらいまで、ある言語のもとで成長すると、それが母語として固まってしまい、他の言語はあくまでも外国語として覚えるしかなくなります。ごくまれに、複数の言語を母語として扱っているかのように見受けられる人がいます。そういう人の頭の中がどうなっているのか知りたいのですが、これも言葉で説明できるものではないようです。

多くの人にとって、母語はひとつです。例えば、中学生くらいのときに来日し、日本語で学校教育を受け、ほぼ完璧（かんぺき）な日本語を話す中国人を何人か知っています。彼らは、平均的な日本人より言葉を知っているくらいです。にもかかわらず、日本人なら絶対にしないような間違いをします。いくら完璧に近くても、外国語は、やはり外国語なのでしょう。

この本の読者の多くは、日本語を母語とし、新たに外国語を学ぼうという人たちだと思います。外国語を母語にすることは、特別な環境でもないかぎりムリですが、「母語のように話す」のであれば、まったく不可能なことではありません。この「母語のように話す」ときの感覚とは、いかなるものなのでしょうか。

外国語のできない人は、この感覚がつかめていません。私も外国語をひとつも話せなかったときには、外国語で話すということがどういう感覚なのか、まったく見当もつきませんでした。もちろん、どういう勉強をすれば、それが可能になるのかもわかりませんでした。

いまの私は、複数の言語を外国語として理解し話すことができますが、たしかに不思議な感覚です。まずその不思議な感覚について、振り返ってみることにしましょう。

外国語モードに入る

人間というものは、覚醒(かくせい)しているときに思考を止めることができません。しかもその思考は、ほとんどが言語を介しています。

小さなころ、私はこの思考にとらわれて眠れなくなることがよくありました。そんなとき、「考えない、考えない、考えない」と念じますが、その直後には、「ああ、いま『考えない』と考えてしまっている！」と気づいてしまい、ますます眠れなくなるということが何度もあったように思います。頭の中には常に言葉というものが流れているのです。

そして日本人の場合、この常に流れている言葉は、母語である日本語なのであって、外国語が流れていることはまずありません。このことは、外国語ができるようになってからも同じです。意図的にひとつの外国語で考えようと思えば不可能ではありませんが、ふと気を抜くとすぐに日本語の侵入を許してしまいます。

ところが、中国人と中国語で話しはじめると、不思議にも、そのときだけ中国語の「モード」に切りかわったかのように、言葉が自然と口から出てくるようになるのです。とはいえ、日本語も消えている感じはしません。影のように脳の中に残っていて、中国語モードが終わるやいなや襲来してきます。

このように、外国語を話す場合には、モードの切りかえが必要です。モードが切りかわることによって、中国人と中国語で話すのは簡単になります。ただし、相手が日本語で話している場合に、こちらが中国語で表現するのはやや難度の高いものとなります。同様に、アメリカ人と英語を話しているときは、比較的きれいな英語が口から出てきますが、そうでない場合にはうまく出てきません。

ですから、同じ意味の内容を５つの言語で表現してみてくれ、と求められることがときどきあるのですが、これは簡単なことではないのです。モードの切りかえは、そんなに手っ取り早くはできないからです。通訳者は、同時に２つの言語を扱いますが、これでも単に外国語をそのまま理解するよりは難度が上がります。そのための訓練を積まなければなりません。

つまり逆に見れば、**訓練によってこの外国語モードを身につける**ことで、母語のように外国語を操(あやつ)ることができます。外国語を日本語に訳して考えようとしている段階は、まだ外国語が身についているとはいえません。

外国語モードは、外国語の**語感**と言ってもいいでしょう。語学学習でいちばん大切なのは、この語感をつかむことであり、そのつかみ方を学習する点にあります。

外国語ができない人は、語彙(ごい)の面から見ると、ただ単語の日本語訳を覚えているにすぎません。一方で、外国語のできる人は、外国語の単語そのもののイメージやニュアンスを理解しています。日本語を介(かい)さないで語を把握することは、母語でなくても十分に可能です。

文法の面から見ると、頭の中に「埋めるべき空欄」が用意されているという感じです。外国語のできない日本人は、この空欄を頭の中につくろうとしません。紙の上に与えられた空欄を埋める作業ばかりしています。

埋めるべき空欄

それでは、頭の中の「埋めるべき空欄」とはどういうものか、簡単な例で説明してみましょう。

The earth is round.（英語）
La terre est ronde.（フランス語）
La tierra es redonda.（スペイン語）

英語、フランス語、スペイン語という3つの言語でそれぞれ「地球は丸い」という文を作ってみました（まあ実際に、こういう発話はあんまりしませんが）。

この3つの言語の文法がまったく同じでないのは言うまでもありませんが、このくらい単純化された文になると、驚くほどよく似ています。構造は、それぞれ「冠詞＋名詞＋be動詞（に相当するもの）＋形容詞」という形で共通しています。

つまり、それらの言語を喋っているときは、頭の中にそれぞれ、「冠詞のスペース」「名詞のスペース」「be動詞のスペース」「形容詞のスペース」というような空欄ができあがっていて、そこに自然と語が埋まっていく感じになります。

では、別の言語ではどうでしょうか。例えば、「地球は丸い」をロシア語で表現するとどうなるでしょうか。実はロシア語には、英語などの「冠詞」と「be動詞」に当たるものがありません。したがって「名詞＋形容詞」だけの文型になってしまいます。

私は長らくロシア語の語感を習得できずにいました。英語やフランス語から入った私にとって、そのことが障害となっていました。いざロシア語で話そうとしたところ、どうやら英語やフランス語のフォーマットが勝手に機能してしまうらしいのです。頭の中では、つい冠詞のあるべき位置に冠詞を、be動詞のあるべき位置にbe動詞を埋めようとしてしまいます。これをすっ飛ばして考えることに最初は違和感を覚えました。

このことで、ロシア語の語感がいまだ養成されていないことを知ると同時に、普段は活性化されていない英語やフランス語などの見えないフォーマットがすでに存在していることを認識しました。ロシア語が理解できないことで、かえって英語やフランス語などに対する理解を実感できたということです。

やはり似ているフランス語とスペイン語

実をいうと、「埋めるべき空欄」のパターンはそれほど数が多くありません。ほとんどの言語で、1年から2年あれば十分習得できるでしょう。

私がこの「空欄」を最初に獲得したのは、やはり中国語で、夏休みの北京滞在40日間でできあがりました。つづいて、フランス語も2年くらいでできあがり、はじめてフランスに行ったときから、ある程度の会話ができました。

いちばんうまくいったのはスペイン語です。完全に独学だったので、それまで一度も話したことはなかったのですが、半年も学習すると、よくわからない自信がつき、学習開始から8カ月後くらいで南米へ放浪の旅に出かけることにしました。予想どおり空港に到着したときから、自然とスペイン語が口から出てきました。旅の後半、ボリビアのウユニ塩湖というところを4WDでめぐる現地ツアーに参加しましたが、このころには運転手のスペイン語を同乗の外国人に対して英語に翻訳する役もこなせるようになっていました。

スペイン語がすぐにできるようになったのは、フランス語を先に習得していたことが大きいと思います。先ほどの「地球は丸い」の例でも、文字で書くだけでフランス語とスペイン語がよく似ているのがわかると思います。フランス語ですでにこういう空欄ができあがっていたので、スペイン語でもほとんど同じものをそのまま使えました。

語感というのはおもしろいもので、この南米旅行ののち、半年してフランスに行く機会があり、ここでは当然フランス語を話すことになるのですが、最初のうちは全部スペイン語になってしまいました。おそらくフランス語とスペイン語は構文も語彙も非常によく似ているためだろうと思います。頭の中の空欄が共通するために、直近で使用していたスペイン語で埋めようという意識が勝手に働いたらしいのです。

論理的な文法教育

ちなみに、日本における文法教育は、パズルゲームの解法のようなものになっています。ヨーロッパの言語には、さまざまな活用形がありますが、この場合にも、ごく初級の段階で、活用形の各種変化を丸暗記させようとします。活用形を覚えることじたいは間違っていませんが、問題なのは、そこから先です。

「次の動詞を正しい活用形に改めよ」といった設問が、その最たるものです。こういったパズルを解いているだけでは、ただ論理的に判断する頭脳ゲームの達人になってしまうだけで、いつまでたっても言語を習得できません。語順についても、同様です。頭の中に埋めるべき空欄がきちんとできていなければ、論理的な語順を暗記しても、意味がないのです。「疑問文の語順はこうあるべき」といった理屈にしばられてしまいます。

そして多くの人が、論理的な活用、論理的な語順にしたがって作文しさえすれば、正しく表現でき、相手に伝わると、誤解しています。これが、語学学習のつまずきとなります。

ちゃんと覚えた言葉は忘れない

それから、教職にある立場として、「覚えても忘れてしまう」という悩みをよく聞かされます。

私は何カ国語も学習してきましたが、言語の数が増えてくるほど、すべてを復習することは不可能になります。しばらく使っていないと、専門の中国語でもパッと出てこないほどです。スペイン語に至っては、もう丸5年も使っていません。すぐに喋ろうとしても喋れないと思います。

しかし、一度きっちりと頭の中に空欄をつくり、語彙もきちんと覚えておけば、**忘れていても思い出す**のです。心理学の授業で聞きかじったところによると、覚えたことは忘れるのではなくて、思い出せなくなるだけだそうです。

私は北京大学に1年間留学していましたが、帰国後たまに中国語を話す機会があると、留学していたときに比べて会話能力が著（いちじる）しく低下していることに気づかされました。なんとか低下させないようにと思ったのですが、なかなか勉強しようという気が起こりません。

ところが、再び中国を訪れて数日間、中国語のシャワーを浴びるや、勝手に思い出されてきました。特に学問的な話をしたときなどは、「ああ、こんな中国語あったなあ」と自分が使った言葉に何度も驚きました。環境さえ与えられれば記憶が戻ることがわかり、それからは日本で会話能力を低下させないための努力をムリにすることをあきらめました。

フランス滞在のときにも、最初のうちは頭がスペイン語のほうに向かっていてしまったのですが、滞在3日目のころには完全にフランス語の頭になりました。

言語というのはそういうもので、普段忘れているようでも、しっかり身につけたものならば環境によって思い出すもののようです。
「覚えても忘れてしまう」という人の多くは、忘れているのではなく、**最初から覚えていない**と認識しましょう。覚えたつもりでいるだけです。

語彙や表現のパターンは無数にありますが、頭の中につくるべきフォーマットの数じたいは必ずしも多くはありません。特に話し言葉で使われるフォーマットは、ずっと少なくなります。これがきっちりつくり上げられてさえいれば、あとはそれを埋める語彙や例外的な表現の数を増やしていくだけになりますし、語彙が足りなくても持っている語彙で言いかえることが可能でしょう。

さて問題は、どうやったら日本語を介さずに語のイメージを理解することができるのか、どうやったら頭の中に空欄をつくることができるのか、ということになります。少しずつ考えていくことにしましょう。

●どうして外国語が身につかないのか

できない人の理由

外国語ができるようにならない理由は、ざっくり言えば、次の2つです。

1、勉強の方法が適切ではない
2、勉強の量が足りない

多くの場合には、この2つの理由が複合していて、適切な勉強方法がわからないから、勉強の量をこなせなかったり、やっても成果が出ている気がしないから、三日坊主で終わってしまったりするのでしょう。

何ごとにも、技術を習得することに近道はありませんが、これは語学学習においても同様です。残念なことに、遠回りの道があれば、逆向きベルトコンベアーのようにもとの位置に押し戻されてしまうような、やっかいな道もありますが、適切な方法でしっかり量をこなせば、必ずできるようになりますし、ある一定の段階に達すれば、忘れてもすぐに思い出します。

必要に迫(せま)られると、身につく

みなさんの周りで、外国語が流暢(りゅうちょう)に話せる人はというと、どういう人でしょうか。多くは帰国子女か、海外に長期留学をしていた人でしょう。

外国に長期で留学すると、ほとんどの人はある程度そこの言葉ができるようになります。特に、普段の生

活と直接関係していることがらについては、すぐに理解できるようになります。こういったことは実のところ、それほど難しいことではありません。買い物や食事、銀行やホテルでのやりとりなどです。

それに、外国で新しい人たちに会うと決まってするやりとりというのがあって、何度もやっているうちにパターンが身につきます。もっとも基本的なのは、あいさつでしょうか。あいさつができないと人間関係が始まりません。

あいさつができると、次はお互いがどのような人物であるのかを聞くことになるのが、通常の流れです。出身地、年齢、家族についての基本的な情報から、なぜその国に来ているのか、学生ならば何を勉強しているのか、社会人であればどんな仕事をしているのか、家族は何をしているのか、というようなことです。

こういう何度もくりかえす会話は、すぐにできるようになります。これらが、なぜできるようになるのかというと、第一に必要だからです。

必要というのは、どういうことでしょうか。それは、周囲の**世界と言葉を結びつける必要性**があるということです。必要性や必然性と結びついた言葉は、自然と身につきます。日本の学習環境でいちばん欠けているのはこの点だと思います。

どこかの国にひとりで乗り込むことを考えてみましょう。まず空港についたら、目的の滞在先に向かわなくてはなりません。

一部の先進国を除けば、ここで早くも言葉が必要になります。バスがあるとすればその乗り場はどこかを聞かなくてはなりません。場合によっては、違法タクシーの運転手が「ホッテル、ホッテル」と言いながら近づいてくるかもしれません。客引きをしてくる運転手は危険なので、原則的にはついていってはいけません。私は、ペルーでこの原則を破って、ぼったくられたことがありました。

メキシコの空港に降り立ったときのことを例にあげましょう。機内に預けた荷物が出てくるのを待っていたのですが、いつまでたっても出てきません。焦(あせ)った私は、職員を探し、「私の荷物が出てこない！」と訴えなければなりませんでした。すると、事務所のようなところに連れていかれて、担当者が調べてくれることになりましたが、その結果、「おまえの荷物はまだアメリカに残されている。今夜はどこに泊まるんだ？明日その宿まで届けるから」と言われました。

しかし、バックパッカーの旅ですから、ホテルの予約などしてきていません。お目当てのところはあっても、泊まれるかどうかは、現地に行ってみないとわからないのです。そのことを説明しなくてはなりません。案の定(あんのじょう)、「だったら、滞在先が決まったらここまで電話してくれ」と、電話番号を渡されるはめになりました。

目的の安宿でベッドを確保するやいなや、公衆電話のかけ方を聞いて、空港まで電話をしました。かなりやきもきさせられましたが、翌日の夜に、荷物は無事に到着しました。

このとき、荷物が出てこないという重大事を解決するために、私は空港職員とのやりとりや、その後の電話などをスペイン語でこなさなくてはならなかったわけです。こういうとき、自分が話すべき言葉も、職員が話してくる言葉も、すべてその場の状況と密接に関係しています。

私はこちらの意思を伝え、相手の言葉を理解するのに必死でした。こういうときに用いた表現はそう簡単に忘れるものではありません。やはり、留学に大きなメリットがあるのは、言葉がその場での状況や世界とつながって認識されるようになるからだといえます。

単語帳の問題点

ところが、日本での学習環境では、こういった「世界と言葉のつながり」ができあがりません。おそらく、つなげようともしていないでしょう。では、何と何がつながっているのかといえば、ただ文字と文字とがつながっているのです。

あなたは、こんな単語帳をつくって暗記をしたことはありませんか。

object	反対する　物　目的語
project	計画
row	列
confess	告白する
cockroach	ゴキブリ
upset	ひっくり返す　ダメにする 心を乱す
postpone	延期する (=put off)
wound	ケガ

左に外国語、右に日本語を羅列しただけの単語帳です。ここに表わされた情報の暗記によって得られるものは、外国語の文字列とそれに対応する日本語訳の文字列のつながりだけです。

与えられた外国語を既定の日本語に変換する、あるいは既定の日本語を外国語に変換することはできても、それ以上のことができません。したがって、ここで覚えた言葉は、実際には使えない言葉に他なりません。

これは文章レベルでも同じです。印刷された外国語の文字列を日本語に直訳する訓練、あるいは日本語の文を外国語の文字列につなげる訓練をしています。最初に形を覚えるという意味ではこれも有効ですし、ひとりの教師が40人に教えるシステムのもとでは仕方がないともいえます。

しかし、語学習得の訓練をするにあたって、まず考えるべきことは、何度も申し上げるとおり、世界と言葉の連結を目指すことです。

ひとつには、先ほどのメキシコの例のように、実際の場面での使用法から言葉を把握するということです。しかし、日本にいて、そのような必要に迫られることはありませんから、人工的に場面と言葉の連結をつくり出す学習法が必要になります。

日本人が疎(おろそ)かにする音声学習

日本人の学習の中で、もうひとつ大きく足りていないものがあります。それは「音声」です。音声を横において、語学学習は前に進まないでしょう。なぜなら**言葉というのは、音声の体系**だからです。

ひとつの言葉の音声のパターンというのは、それほど多くあるわけではありません。そして、この音声が体得できれば、単語の記憶も飛躍的に容易なものとなりますし、ずっと忘れにくくなります。

日本人が、新しい日本語の言葉を覚えるとき、外国語の言葉を覚えるのに比べて、ずっと楽なのも、日本語の音声の体系が無意識的に身についていることと無縁ではありません。

ところが、日本人の学習者のほとんどは音声を重視していません。言葉を音声から覚えようとしないのです。音声の感覚をつかむことが、その外国語の語感をつかむために、まず重要なことであるにもかかわらずです。

そして、さらに重要なのは、外国語の文字列とその日本語訳を暗記することではなく、**じかに音声と概念とを結びつける**ことです。言葉の意味とは、ある音声が表わす概念のことであって、日本語訳ではありません。単語や表現を覚える際、同時に音声と概念とを結びつけていれば、あっという間にその言葉は「使える言葉」になります。言葉を覚えても、うまく扱えないのは、音声と概念を結びつけて覚えていないからです。使うことができないものは、覚えたとは言いません。

音声と概念をつなげることは、言葉と世界をつなげることでもあります。言葉というものは、「世界の把握の仕方」です。「世界の把握の仕方」とは、概念です。したがって、概念を覚えることとは、音声で表わされる世界のとらえ方を覚えるということです。つまり、音声と概念とを結びつけることとは、**音声と世界とをつなげる**ことでもあるのです。

概念とは、わかりやすく言えば、言葉が持つイメージです。そのイメージをつかむのです。

ときどき、「読解と作文はそこそこできますが、聞いたり話したりはちょっと……」と言う人に出会います。この言い訳は、あまり正確ではないと思います。

訳読をくりかえせば、たしかに文章の意味はそこそこ取れるようになるでしょう。しかし、少し上のレベルを目指すのであれば、その言語の語感、音声とそれが表わす概念がわかっていなければなりません。つまり、音声を経由した語感がつかめていないと、深いところの意味、本当の意味を取り損(そこ)なってしまうおそれがあります。ですから、音声が頭の中に入っていなくて、読み書きだけが十分にできるということはないと思います。

「桜並木」を英訳できますか？

実際にプロレベルの翻訳者が頭の中で行なっている

作業は、文字から文字に翻訳することではありません。まず外国語の文章を理解し、その状況を「概念」に変換し、理解した概念を日本語で表わすならばどうなるかを考えています。

もうだいぶ昔のことですが、山手線の車内広告に、日本語を英語でどう表現するかというクイズが出題されていました。

問：次の日本語を英語にしてください。
「桜並木」

まだ私の英語力が低かったころです。もちろん桜が"cherry"だということはわかりますが、「並木」という単語は知らないな、とそのとき思いました。私は「並木」という日本語の文字に直接対応する英単語を、頭の中で必死になって検索していたのです。

はたして、解答は次のようなものでした。

A row of cherry trees

直訳すれば、「桜の木の列」です。"row"という単語が「列」を意味することは知っていました。ですから、原理的にはこの問題に答えられてもよかったわけです。しかし、そうはいきませんでした。私の頭の中では、単語帳のページのように「row　列」としかつながっておらず、そこからは「並木」という言葉をついに導き出せなかったのです。

外国語と日本語とが一対一でつながっている単語もないわけではありません。しかし、実際の使用となると、すんなり対応しないことが多いですし、さらに文レベルになると構文が異なってくる場合もありますから、まったくお手上げです。

それに、無数にある文字列に直接つながる文字列をひたすら覚えていくとなると、習得はもはや絶望的ではないでしょうか。これを概念に置きなおし、英語で描写しなおすという訓練ができていたならば、表現はずっと容易になります。

プロの翻訳者のやり方を見てみましょう。

まず、「桜並木」を画像に転換し、頭の中に桜の木が並んでいる様子を浮かべます、次にそれを英語で表現するならどうなるか、と考えています。この過程を下図のように表わすことができます。

真ん中の絵で表わされたものが、いわゆる「概念」です。「世界」と言ってもいいかもしれません。実際に外国語で喋るというケースでは、図のうち左の円(日本語)を介在させず、「桜の木が並んでいる状態」のイメージから、じかに英語で表現されます。

つまり、「桜並木」という日本語を「英訳」しているのではなく、日本語が表わしている何らかの概念を英語で表わすとどうなるかという発想なのです。

いままでの学習法は捨てよう

日本語から外国語に翻訳する作業と、日本語の部分を介在させずに概念からじかに文をつくるのでは、どちらが簡単かと言えば、間違いなく日本語を介在させないほうです。ひとつの行程が省けますし、日本語の「桜並木」という文字列があると、この文字が持つイメージ(つまり日本語のイメージ)にとらわれてしまうため、そのぶんだけ手間がかかります。

簡単にまとめますと、外国語の学習をするにあたって心得ておかなければならないことは、まず文字列と文字列をつなげるのではなく、世界と言葉をつなげようとすること、そして音声と概念をつなげようと意識することです。

外国語が何カ国語もできる人を私は何人も知ってい

ますが、そういう人たちは初級のうちから学習した言葉を、すぐに使うことができます。なぜすぐに使えるかというと、最初から覚え方が違うのです。

彼らは、与えられた文を単に暗記するのではなく、それを実際に使う場面を想定し、頭の中で、あるいは口に出して使っています。現地へわざわざ行かなくても、頭の中のシミュレーションで世界と言葉をつなげられるのです。

この方法を用いれば、習得した文や単語が少なくても、とりあえずそれを使うことができます。一方、普通の学習者は、テストでは満点近く取れるのに、それは紙の上の話にすぎませんから、たくさんの語彙や表現を覚えたつもりでも、きわめて単純な会話すらできません。

「語学のできない人たちが語学のできない人たちを再生産するシステム」の中で外国語ができても、何ら意味はありません。覚えたはずなのに使えないのであれば、それは学習法が間違っているのです。

同じことをくりかえしても永遠にできるようにならないと肝に銘（めい）じ、言葉に対する観念を変えましょう。

次に重要なのは、学習量の問題です。留学が効果的である理由をあえて挙げるとするなら、それは外国語に多く触れることができるからでもあります。語学学習に近道はないと述べたとおり、量をこなしていく作業はどうしても必要です。

少し前に『英語は絶対、勉強するな！』という本が話題になりました。タイトルからは、いかにも勉強しないで楽に習得できる方法が書いてありそうな気がするのですが、中身は、これまでのような方法で勉強するなという主張でした。毎日それ相応の努力が求められるのは当然のことで、かといって、無意味な勉強法に時間とお金を費（つい）やすくらいなら、やらないほうがマシです。私も同感です。

分量をこなすことが絶対に必要である点は、語学ができる人であれば、みんなが言っています。複数の言語ができる人は、やはりかなり努力しているものです。

●私はこうして覚えた

教材は好きなジャンルから選んでいい

読者のみなさんは、どのような教材を使って外国語を学習しているでしょうか。目的によって違ってくるとは思いますし、最近ではさまざまな教材が開発されています。英語の学習者で圧倒的に多い悩みは、ある一定のレベルから上にいけないということでしょうから、ひとまずそのあたりの学習者を想定して考えてみましょう。

以前、TOEICで満点を取った人の学習法に関する記事を読んだことがあります。その人は私と同じで、もともと英語があまり得意ではなかったそうです。

ちょうど大リーグで野茂英雄(のもひでお)投手が活躍しているときでした。そこで彼は、野茂投手と大リーグに関する記事を集め、わからない表現を徹底的に調べ、すべてを覚えていくことにしました。彼は野球が好きだったのです。

この体験談には、非常に重要なポイントが隠されています。それは、教科書のようなものではなく、自分の興味のあるものを教材に選んでいるということです。興味があることだから、何が書いてあるか知りたいと思うし、より真実に近い意味に迫ろうとするでしょう。その表現には、世界とのつながりがあって、けっして死んでいる言葉ではありません。

語学というものは、毎日継続しなければなかなかできるようになりませんが、多くの人はテストで追い詰められたときをのぞいては、自らを律(りつ)しつづけることができません。語学には興味があるのに、教科書がつまらないから止(や)めてしまったなんて、笑い話にもなりません。

つまらないから続けられないのならば、好きなものをやればよいだけのことです。スポーツにかぎらず、音楽、歴史、その他の趣味・娯楽のこと、あなたに適した教材はいくらでもあります。

私は語学学習の際には、必ずテレビドラマのDVDと小説を使用することにしています。最初のうちは、『星の王子さま』と『ハリーポッター』でした。

多くの学習者は、英語の基礎的な文法と単語を修了しているはずですから、問題は、その言葉をどう世界とつなげるか、音とつなげるかということになります。そうした段階では、DVDや小説などを教材として使用することをお勧めします。

もちろん、単語には偏(かたよ)りが出やすいですし、他のテキストや文法書なども参考にしていくことになりますが、まずこういったテキストを使って語感を磨(みが)くと、飛躍的に理解力がアップします。表現のフォーマットが頭の中にできあがれば、あとは語彙や表現をそこに足していくだけで済むからです。

コメディードラマが最適

もし、特に興味のあるジャンルがないということでしたら、テレビドラマを見ることをお勧めします。もちろん吹きかえ版や日本語の字幕つきではなく、外国語の字幕がついたものを選んでください。字幕なしでは、さすがに何を言っているのかわからないですから、初期の学習には向いていません。これが英語であれば、英語の字幕を見ながら、英語の音声を聞くことになります。DVDは字幕の切りかえが可能です。

どのテレビドラマを選ぶかは、自由です。これも、自分がおもしろいと思えるテレビドラマを選んでください。あなたの感覚で、どんどん先を見たくなるような内容であることが前提です。

ただ、どのジャンルのテレビドラマが向いているか、だいたいの傾向はあります。私の経験からすれば、日常的なシチュエーションを題材にしているコメディーが最適ではないかと思います。

テレビドラマにもさまざまなタイプがありますが、概してコメディーはセリフの量が多く、話すスピードも速い（自然な速度である）からです。そして、日常的によく使われる表現が頻繁(ひんぱん)に登場します。

その一方、アクションはあまり向いていません。時間に対してセリフの量が圧倒的に少ないのです。また、シリアスなドラマはゆっくりと話される傾向があります。裁判ものや政治もの、SFなどになると、特殊な単語が多くなるので、レベルが上がってからにしたほうがよいでしょう。また映画は一般的に、テレビドラマにくらべると、セリフの量が少なくなります。やはりテレビドラマのほうが効率的でしょう。

なぜ速く話すコメディードラマから入るのがよいのかにも、理由があります。語学ができるようにならない人は、とにかくゆっくりした音声で聞きたがります。リスニング教材は、多くが棒読みのうえ、日常的な自然なリズムで話されていません。結局のところ、退屈ですから、必ず聞きつづけるのが苦痛になってきます。

自然なスピードとリズムで話された言葉は、何より魅力的に聞こえます。これは重要なことです。相手に伝えるつもりで発せられた音声と、例文をただ読み上げただけの音声とは、明らかに異なるものです。

それから、もっとも速いスピードについていけるようになれば、それより遅い音声は聞き取れるようになりますし、字幕と見比べながら聞くことで、その文を実際にどのようなリズムで読んでいるのかがわかります。

また、何と言ってもテレビドラマの場合には、映像と結びついているところが大きなメリットでしょう。つまり、具体的な場面と結びついているのです。日本では実際の場面で外国語を使うシーンが限られてしまいますが、画面の中とはいえ、使用している言葉と世界の連結があるので、**そのコンテクストの中で学習することが可能になります。**

コンテクストとは、文脈、文の前後関係や背景のことです。ようするに、文章上に表わされた世界のことですね。

記憶に必要な条件

言葉を暗記することができない、覚えても忘れてしまうという人がいます。リストを暗記するだけの学習は忘れやすいのです。かく言う私も、高校時代は英語をほとんど勉強していませんでした。テスト期間がやってくるたびに付(つ)け焼刃(やきば)で単語帳をつくり、なんとかクリアしていました。これは、多くの高校生と同様です。

ところがあるとき、以前つくった単語帳と、新しくつくった単語帳を比較して愕然(がくぜん)としました。多くの単語がダブっているではありませんか。このことにはまったく気がついていませんでした。前の単語帳で覚えたはずの単語をきれいさっぱり忘れていたのです。

人間は比較的短期の間だけ脳内のメモリーに蓄(たくわ)えることも可能ですから、テスト前だけ一夜漬けしてもその日だけは覚えている気になれます。一度覚えたことを頭の中に定着させるには、2つの方法があります。

記憶というのはまず、何かと結びつけることによって強固になるという性質があります。

例えば、あなたは今日、何を食べたか覚えていますか。さすがに、これは思い出せるでしょう。では、3日前ではどうでしょうか。何とかして、思い出そうと記憶の糸をたぐり寄せていくでしょう。3日前は日曜日だったな、たしかAとデジタルカメラを買いに行ったから、新宿に行って、そうか、Bという店でパスタを食べた……というようなものです。

食べたもの単体では呼び出しにくいものの、それに**つながっているエピソードを経由して思い出される**ものが、記憶です。外国語における記憶も同様で、文字だけの丸暗記はすぐに忘れてしまっても、他のものと記憶のリンクができると忘れにくくなります。

なかには、語呂(ごろ)合わせ（頭文字を並べて別の言葉にするなど）で、記憶のリンクをつくる人がいますが、語学学習の場合には使える言葉になりません。語呂というのは、あくまでも文字面を追ったものであって、その語が表わすイメージやニュアンスとは無関係だからです。

これが、テレビドラマなどを介した記憶となると、各シーンの話者の表情や背景、ストーリーの流れの中などで、映像と結びつけて知らない単語や表現を覚えることができます。こうすればエピソードとつながるだけでなく、世界とのつながりもできるし、音声とのつながりもできます。

記憶を高める第2の要素は、**何度も同じ語や表現に出会う**ことです。テレビドラマの音声を聞いていると、頻繁に同じような単語、表現、構文に出会うことがわかります。それも異なったシチュエーションで同じ単語が出てきます。

単語や構文というのは、それ単独で使用するものではありません。必ず前後のコンテクストの中で登場するものです。

同じ語や表現が、いろいろな場面で使われているのを観察することで、それが表わす語感がどういうものか理解できますし、記憶も強くなります。特に会話で使う構文の数はそれほど多くないので、会話の仕方がわかってくるはずです。

日本人の学習者は、コンテクストから離れた死んだ言葉しか学習しませんから、それではもちろん使える言葉にはなりません。よく出てくる表現こそが、その言語のベースであるともいえます。このベースづくりがもっとも大切です。ベースができれば、記憶力も増大します。

中国で英語を習得できた

このことに気づいたのは、やはり高校3年生のときの北京滞在です。暇をもてあましていた私は、よくテレビを見ていました。日本のテレビドラマは1週間に1回しかないのに、中国は連日放送しますから、短期滞在にはとても便利です。

しかも中国のテレビドラマは、なぜか多くのドラマで中国語の字幕が付いています。中国語はすべて漢字ですから、日本語の知識ですぐ理解できる単語も多く、教材としてたいへん使えるものでした。毎日数時間見て、よく出てくる表現をメモし、辞書で調べて覚えていきました。教科書の死んだ言葉ではなくて、実際にどういうイントネーションで喋っているのかもわかりました。

英語の学習法も同様です。私が英語をまともに勉強しはじめたのは、大学3年生、北京に長期留学をしていたころのことです。高校時代はまともに英語を勉強していなかったため、その時点での私の英語力はきわめて低いものでした。高校受験は厳しかったので、だいたいの文法と単語は知っていましたが、中学生に毛の生えた程度といってよかったでしょう。

秋に留学にきて、半年が経過した冬休みのことでした。中国では旧正月を挟んだあたりが長期の休みになりますが、周りの留学生仲間はほとんど帰国してしまい、すっかり退屈していました。寒さが苦手なので、極寒の北京では外に出ることもできません（まぁ、私は気候がよくても外にはあまり出ませんが）。テレビも大してておもしろくないし、一日じゅう中国語の本を読んでいるのも飽（あ）きてしまいました。

そんなとき、大学内のスーパーに売られていた『フレンズ』というタイトルのDVDと偶然出会いました。日本でも放映されていたテレビドラマですから、ご存じの方も多いでしょう。きわめてくだらない内容のコメディーです。どうせ暇なので、英語の勉強でもしようと思い、買ってみることにしました。

最初のうちは、英語の字幕を追いかけるのに精いっぱいなほどで、何度もくりかえして見なければ意味さえわかりません。ところが、1シーズン、24話分を見終わるころには、なんとなく英語のリズムがわかってきました。

そして、気がつくと、完全にこのドラマにはまってしまったのです。作品との相性がよかったのでしょう。当時、『フレンズ』はちょうど10シーズン目に突入していたころで、9シーズン分のDVDをすべてまとめて購入しました。先が見たくて仕方がないので、視聴量はどんどん過激になり、1日4、5時間見ている日もありました。

2週間もしたころでしょうか。驚いたことに、突然英語がスラスラ聞きとれるようになっていました。もはやストップすることなく、通して見ることができるようになっていたのです。1カ月もたつころには、相当に自信がついていました。

長期休みが明けると、新たなトルコ人のルームメートがやってきました。そしてこのトルコ人も、私の見ている『フレンズ』にはまってしまったので、よく2人で見ていました。彼もあまり英語はうまくなかったのですが、しだいに『フレンズ』の語彙を駆使して話すようになりました。2人とも中国にいながら英語を短期間で習得したのでした。そして帰国してからTOEICを受けると、リスニングは満点近いスコアを取れました。

音声がつかめてくると、単語や文章表現の記憶も飛躍的に向上します。外国語が話せるようにならない、聞きとれないという人は多いですが、やはり聞いている量が圧倒的に足りません。

耳から入ると言えば、有名なゴルフ選手が宣伝している英語教材を思い浮かべる人も多いでしょう。この教材は、「聞き流すだけで英語ができるようになる」と喧伝(けんでん)していますが、「聞き流すだけ」で外国語を習得できることなど絶対にないと思います。少なくとも私は、興味を持って集中して聞かないと、覚えられません。

それにしても、教材用に吹き込まれた無機質な外国語をそんなに長く集中して聞きつづけられるものでしょうか。私なら飽きてしまうし、多くの人がそうして挫折(ざせつ)しているのではないでしょうか。

語学にかぎらず、いかにも楽に学べることをうたったものは、すべて眉唾(まゆつば)ものと考えてよいでしょう。ただし、楽な気持ちで学ぶことはできます。その方法をどうやって工夫するかです。

続けて見たくなるようなDVDを教材として選べば、集中して長時間、大量の話し言葉を聞くことができます。日本で中国語を勉強していたときも、私は授業に行かずに、ひたすらDVDを見ていました。1話45分×40話あるシリーズを、3日間で見たことも何度かあります。膨大(ぼうだい)な量の文章がこれで頭に入りました。

もちろん、ドラマだけでは語彙や表現が偏(かたよ)りますから、ニュースなどを収録した教材も使用しましたが、リズムを完全につかんでいるので、短時間でも効果が上がりました。

外国語版の『ハリーポッター』を読む

『フレンズ』と並んで、北京で読んだのが『ハリーポッター』です。『ハリーポッター』は、話がわかりやすいわりに、単語量もそれなりにあります。物語があるから、その物語の場面に結びつけて表現を覚えていけます。物語は、地の文と会話文と両方ありますし、基本的な構文がほとんど出てきますから、語学学習に打ってつけといえます。

私の場合、各外国語の初級の習得が終わった段階で、いきなり『星の王子さま』と『ハリーポッター』(シリーズのどれか1冊) を読むことにしてきました。こういった名作には各外国語版がそろっていますから、表現の比較もしやすくなります。こうして、『ハリーポッター』を日本語以外の6カ国語で読破しました。

ひと昔前は、「外国語版の本を読むときには、8割から9割くらい知っている単語で書かれたテキストを選べ」とよく言ったものです。そうでないと、いちいち辞書を引くのが面倒になって挫折してしまうからです。ところがいまは、電子辞書があります。ほとんど知らない単語で構成されているテキストであっても、すべて調べることがそれほどの手間ではありません。

それに最初のうちは、出くわすすべての単語をかたっぱしから覚えるわけではありません。意味は取っていきますが、重要度の高いものから覚えていきます。これだけでも十分会話ができるくらいの単語がそろいますし、重要な構文もほぼ意味が取れるようになります。

単語の覚え方

具体的にはドラマや小説で知らない単語に出会うと、電子辞書を引き、覚えるべき単語はその場で登録しておきます。標準的な電子辞書には、単語を登録する機能が付いていますから、これを活用しましょう。また、使えそうな表現は軽くメモを取っておくこともあります。それを毎日見直し、覚えたらリストから消すという方法が有用です。

以前の私は、単語を覚えるためのノートを作成していました。その単語が用いられている例文を書き出すのです。たいへん地道(じみち)な作業です。しかし、万人向けに編集された単語本を覚えるだけでは、効果が上がりません。自分の理解度や必要性に応じて、実際に使われている文に向き合おうとすると、やはり記憶への残り方が違ってきます。

個人的な目安として、中級以上の語学学習の場合、

1日あたり10個を目標にしました。単語帳的な暗記であれば、もっとたくさん覚えられるでしょうが、ていねいに覚えていくのであれば、こんなものです。夏休みなど、まとまった時間が取れるときには20個ほど覚えました。1日たった10個でも、1年間になると、3650の単語が覚えられます。忘れたり重複したりしても、2500語は頭に入るはずです。そうなると、2年間で5000の単語が習得可能です。

のちほど詳しく述べますが、よく使う基本的な語が頭に入り、音声と語彙の体系がわかってくると、記憶効率は飛躍的に向上しますから、地道にやっていれば、そのうち一気に覚えられるようになっていくはずです。

テレビドラマから得られるもの

DVDの使用例を、もう少し具体的に紹介しましょう。次の会話は、テレビドラマ『フレンズ』から取りました(ただし、文は単純にしてあります)。

エピソード冒頭部分で、ニューヨークが停電に襲われます。そこでの会話です。

レイチェル: Wow, this is so cool. The entire city is blacked out.

モニカ（母親と電話しながら）: Mom says it's all Manhattan, and no idea when it will be back on.

（中略）

フィービー: Can I borrow the phone? I wanna call my apartment and check on my grandma... what's my number? I never call me.

レイチェルが、真っ暗になった外の様子を部屋の窓から眺めながら、"Wow, this is so cool." と言っています。"so cool" は「いけてるね」などと訳されることが多いのですが、ここは停電の様子なので、「すごいね」のニュアンスでしょうか。アメリカ人は、ちょっとしたことを評価するときに、この "so cool" をよく使います。彼らがどういう状況で "so cool" を選んでいるのか、何度も実例に出会うと、そのイメージがわかってきます。

さて、次のレイチェルの発話 "The entire city is blacked out."「街じゅうが停電だ」ですが、ここで「停電」を表わす "black out" という単語を知らないとします（私はこのドラマを見はじめるまで単語量が乏（とぼ）しかったので、このシーンではじめて知りました）。

しかし、実際の映像でも電気が消えているわけですから、"black out" の意味がわかっていなくても停電している状況は理解できるわけです。また、“black”は「黒」ですし、“out”は「外」が基本的な意味なので、なんとなく何かが消えたイメージがつかめると思います。

たしかに辞書を引いてみますと、「停電」と載っていますが、単に「black out ＝停電」と文字と文字とをつなげて覚えるのではなくて、このテレビドラマの中にある情景を“black out”だと覚えるのです。

つづいて、電話をしているモニカの画面に転じます。母親と電話をしていますが、ここでいったん電話から顔をそらして、周囲にいる人たちに、“Mom says it's all Manhattan, and no idea when it will be back on.”と言います。彼女は停電の状況を受けて、「マンハッタン全部だとママが言っている。で、もとにいつ戻るかわからないって」というようなことを言っているわけです。

“no idea”は「わからない」の意味で、非常によく使われる表現です。なぜよく使うとわかるかといえば、このドラマを見つづければ、さまざまな人物がこの表現を何度も何度も使うのに出くわすからです。何度も聞くことによって、どういう場面で“no idea”を使えばいいのかも、自然とわかってきます。

また、文の最後には“back on”という表現があります。ここに出てくる“on”とか、“off”や“out”などといった語もまた頻繁に出会うのですが、これらは、多くの日本人が苦手とするところです。日本で普通に勉強しているとなかなか使いこなせません。単語を日本語訳ではなく、イメージでとらえる必要は、こういった語を理解するときに、よりいっそう重要になってきます。

“on”は“off”の反対で、「つく」というイメージがあるため、“back on”で「再びつく」の意味になります。つまり、“blacked out”に対応する語です。

次にフィービーという人物が、モニカの所に来て“Can I borrow the phone?”「電話を貸してくれる？」とお願いしています。とても簡単な文で、意味だけなら中学生でも理解できるはずですが、その場になると使えないのが現実です。電話を借りようとしている姿と、“Can I”の表現を直接つなげ、できるだけ日本語の介在を排除してください。“Can I”というような表現は、それこそドラマを見ていれば無限に出てきます。何かをしてもよいかと頼むときは“Can I”というふうに、即座に口から出るようにしたいところです。

もうひとつ会話を見てみましょう。チャンドラーという男性が、銀行のATMにいるところで停電になり、ドアが開かなくなります。最初はクソと思うのですが、そこにはもうひとり、美女（ジル）が一緒に閉じこめられていました。そのことに気づいたチャンドラーはドキドキし、妄想をめぐらせます。

ジル（電話をしながら）: Hi, mam. It's Jill.

チャンドラー: Oh, my God! I am trapped in an ATM vestibule with Jill Goodacre.

ジル: I'm fine. I'm just stuck at the bank ATM vestibule. ... No, I'm not alone. I don't know, some guy.

チャンドラー: Oh, some guy. I am some guy.

女性が携帯電話で母親に電話し、"It's Jill."「ジルよ」と言っています。チャンドラーはこの会話の前から、彼女のことについていろいろと妄想を繰り広げている最中でした。そして、ここでも頭の中で "Oh, my God! I am trapped in an ATM vestibule with Jill Goodacre."（「なんてこった。俺はジル・グッドエイカーと一緒にATMホールに閉じこめられているんだ」）とつぶやきます。

辞書を引かなくても、"trapped in" が「閉じこめられる」ということを表わしているのは、わかるでしょう。

次のジルのセリフ “I'm fine. I'm just stuck at the bank ATM vestibule.” は「大丈夫よ。ちょっとATMホールに閉じこめられちゃって」という感じです。“stuck” も、閉じこめられるという意味だとわかります。ジルとチャンドラーが閉じこめられている映像と、“trapped in” や “stuck” という語のイメージをじかに結びつけてください。

“just” という副詞も、アメリカ人の会話の調子を知らないと、理解しづらいものです。一般的な日本語訳である「まさに」や「ちょうどいま」といったニュアンスにこだわる必要はないでしょう。この場合は、日本語の「ちょっと」に近い、きわめて軽い調子で用いられています。

ここでは英語を例にあげましたが、「すでに単語も文法も、ひととおり知っているはずなのに、使えない、話せない」という人の多くは、教材を暗記しているだけで、実際にどう使われているかを知りません。こういうテレビドラマを見て、映像と音声を介在させれば、知っているはずの単語と、それがどのような場面でどのようにして使われているのかが結びつくのです。

基本語について、実際の使い方、言葉のニュアンスがわかるようになったら、それを足がかりに、足りない単語量を少しずつ増やしていくようにしましょう。

それには、小説などの本文中で、覚えるべき単語にアンダーラインを引き、ひとつずつ覚えていく方法があります。

語彙の習得の仕方については、次章でさらに詳しく述べます。

同じ単語と何度も出会う

語彙や表現を頭に入れるとき、同じドラマや映画を何度もくりかえし見るのと、どんどん違う作品を見ていくのとではどちらがいいか、そういった質問を受けることがよくあります。

最初のうちは、比較的ていねいに確認しながら見ていく必要もあります。しかし、ある程度慣れてくれば、断然後者のアプローチをお勧めします。それは、**違った場面で同じ表現と何度も出会う**ことが大切だからです。複数の状況を組み合わせることで、ようやくその言葉の使い方やニュアンスがわかってくるものなのです。

ですから、出てくるすべての語彙や表現を覚えようとする必要はありません。よく使うものは、別の作品、別のシーンでも、また出てきますから、何度も出会いながら覚えていくのが、もっともよい方法です。

このとき、覚えるべき単語は、辞書についている重要度ランク（たいてい単語の横に星がついています）を目安にするとよいでしょう。初期段階では重要度の高い語だけを覚えていき、レベルが上がったら使用頻度が相対的に低い語を覚えていくことになります。重要度の高い表現が身についてくれば、小説を読む速度やDVDを視聴する速度はどんどん上がってきますから、何度も同じ表現に出会う確率も上がっていきます。

「違った場面で同じ表現に何度も出会う」ことは、**母語が身につく過程を取り入れたもの**です。そのとき私たちは、具体的な場面の中で語彙や表現と出会い、それが何度もくりかえされることによって使い方を覚えていき、ニュアンスがわかってくるものです。これを非母語である言語の習得過程で追体験させます。

短期間で集中する

語学は、量をこなさなければならないのは言うまでもありません。よく「やりたいんだけど、時間がない」と嘆（なげ）いている人も見かけますが、時間は何とかしてつくるものです。

時間をつくるには、「習慣化」させるしかありません。私の場合、中国にいたときや、長期の休暇中、そしてここ数年は、毎朝起きるとすぐにコーヒーを入れ、これを飲みながら最低30分くらいは時間をとることにしています。

それから通勤時間中には、ラジオ講座のCDを聞きます（初級段階にある言語の場合です)。

「勉強してからでないと眠らない」「勉強したら風呂に入る」というような決めごとを設けていた時期もありました。生活の流れの中で、「ここで絶対に勉強する」ということを決めておかないと、三日坊主で終わりやすいと思います（ストイックな人はいいかもしれないですが、少数でしょう)。

費やす時間ということでは、長期でじっくりやるのと短期で集中してやるのでは、経験上、後者をお勧めします。例えば、1週間に1回を数年間続けるのと、1カ月間毎日数時間やるのでは、後者のほうが圧倒的に効果を上げられます。

「同じ言葉に何度も出会うこと」が大切なのですから、前に出会ったことを忘れてしまっているようでは、イチからやり直しになってしまいます。短期に集中してやると、相乗効果のようにして記憶力を伸ばせるのです。

特にあなたが学生であったなら、夏休み中などに過激な訓練を行なってほしいと思います。社会人になると、さすがに時間が限られてしまいますが、たまには連続休暇を取って、外国語をひとつ習得してはいかがでしょうか。1回の休みを全部使ってやってみてください。数年分の価値があります。

ゴールデンウィークの1週間に、1日あたり10時間やったら、それだけでも大幅に語学力は上がります。すでに基礎知識のある英語であれば、当面困らないレベルの実力がつくと思います。

第２章

音声と語彙を習得する

●音声と言語

学校では、音声をちゃんと教えない

日本の語学学習では、外国語の文字列と日本語の文字列だけが直接に結びついているという事情を述べました。この方法の問題点は、言葉と世界とがつながっていないだけではなく、文字と音声の結合がきわめて不十分なところにあります。

ですから、テストでも、音声の理解に関する質問として、次のようなものがまかり通っています。

問：次の単語のうち、下線部の発音が異なるものをひとつ選べ。

① danger　② temperature　③ residence

④ depend

正解は、①の“danger”です。この“a”の部分は[ei]と発音するので、あえてカタカナ式で示せば「デインジャー」となります。一般的な日本人はこれを「デンジャー」と誤ってしまいやすいため、よく出題されてきたのだと思います。

本書では、外国語文にあえてカタカナのルビを振っていません。カタカナで各国語の発音を表記することには限界があります。イントネーションやリズム、抑揚といったものは、当然ながら伝わりません。ですから、ヘタに間違った音声で読まれるよりかは、最初から読もうとしないほうがまだマシではないかと思います。

しかし、おもしろいことに、この手の問題は、高い正答率が期待できます。まさしくテストのための勉強といえるものでしょう。

この他にも、"house" の複数形がなぜか濁った音になるなどというのも、意地悪な問題としてよく出されていました。ただ、こういう問題を正答できる人が、ちゃんとした音声を聞きとれ、正しく発声できるわけではありません。「"danger" は発音注意！」なんて、参考書に書いてあるので、それをそのまま暗記しているだけです。アメリカ人のように発音できることがテストで有利に働くわけではありませんから、疎かにされています。

語学教育には、伝統的に「文法」と「リーディング」が中心としてありました。そこに「リスニング」が加わり、さらに「英会話」が加わっているのが、現状です。

もちろん、「リスニング」や「英会話」を教えるようになったのは、音声の教育をしっかりやろうということなのでしょうが、その理想は実現されていません。なぜなら、「リスニング」や「会話」、あるいは「スピーキング」のパートが、従来からある「文法」や「リーディング」と切り離され、別のものになってしまっているからです。

学校で教える「英語」と、コミュニケーションのための「英会話」とが、別のものになっているのです。本来は、文法で習った文型や、リーディングで出てきた単語の習得が、同時に実際のコミュニケーションにつながっていかなくてはなりません。しかし、なかなかそうはなっていません。

「文法」や「リーディング」が会話につながりにくい理由のひとつは、これらが音声とまったく切り離されているからです。

カリキュラムの問題もあるのですが、さらに日本の教室現場では、なぜか英語らしく喋ろうとすることがカッコ悪い、恥ずかしいという空気になりがちです。教師も、その空気を否定しようとはしませんし、正しい発音で喋ることを評価に入れません。まず、この点の意識から改める必要があります。

結局、きれいに発音できるのは、最初から喋れる海外居住経験者だけで、大半のそうでない生徒は各自が勝手な音で読んでいます。何のための教育なのでしょうか。

なぜ、音声学習が重要か

授業で恥ずかしかったら、せめて家の勉強では、できるかぎりネイティヴに近づけようと努力しましょう。こういうことを書くと、シンガポール人の英語は独自の発音で通じているのだから、日本人もそれでいいんだ、なんて言う人がいるのですが、これは誤解です。

音声をつかむというのは、単にカッコいいとか、カッコ悪いとか、そういう次元のことではありません。相手に正しく伝わるのはもちろんですが、音のリズムがつかめることで、単語を覚えるスピードは明らかに変わります。また、音声と語の結合ができることによって、頭の中への定着の仕方も変わるのです。

文字から入った学習者と音声から入った学習者とを比較すれば、音声から入ったほうが上達するのは、そのためです。

私自身、ロシア語を学習したとき、このことでずいぶん苦労しました。英語などと違い、日本ではロシア語の正しい音声を聞く機会があまり持てませんし、教材も恵まれているとはいえません。それなのに、文法の変化は飛びぬけて複雑です。

とりあえず文字で勉強し、本を読んで意味を取れるようにしましたが、これがなかなか頭に入ってきません。複雑な語形変化をすぐ忘れてしまうのです。サンクトペテルブルクに短期留学した際にも、あまりにも音声の学習ができていなかったため、なかなかロシア語の会話に反応できませんでしたし、頭の中で間違った発音をつくってしまっていた語もかなり多いことに気づきました。特にロシア語のリズムがわかっていませんでした。

よくよく考えてみれば、実際に聞いていないのですから、わかっていなくて当然でしょう。これを日本にいて、わかった気になっていることが問題なのです。

ところが、教科書のような話し方ではなく、実際にロシア人がロシア語で話すリズムをずっと聞きつづけていると、1週間後くらいから話せるような気がしてきました。すると、複雑な語形変化が自然と頭に入るようになり、単語はすんなりと覚えられるのです。2週間もするころには、すっかりロシア語のリズムが身についており、単語量はそれほど増えていないのにもかかわらず、原書をスムーズに読めるようになりました。

こうなると、日本に戻って勉強しても、どんどんレベルを上げられるであろうことがわかりました。音声と世界が結びつけられるようになったからです。改めて言葉のリズム、ネイティヴスピーカーが話すリズムをきっちりととらえることが、「文法」「リーディング」「語彙力」にまで、よい影響をおよぼすことを痛感しました。

日本人学習者は、教師も含めて、どうもこの点がわかっていない人が多いようです。音声をきちんと学ぼうとしません。まじめな高校生たちが、日々単語帳を使って、左にある英語の文字を右にある日本語の文字に結びつけることに時間を費やしているのですから。そして、音声はといえば、頭の中で勝手なカタカナ式の理解で済ませてしまっています。

とにかく聞く

留学などの状況に身をおくことのメリットは、この点にあります。耳から入る情報のほうが、文字から入る情報より圧倒的に多いですし、ある程度は正確に発音しないと、まったく通じないという事態が起きてしまいます。

言葉を音声と結びつけるということは、文レベルで考えたとき、その文のリズムや感覚に結びつくということを示しています。ですから、語感を養成するならば、音声を無視してはならないのです。

そのためには、どうすればよいのでしょうか。そうです、聞けばいいのです。

語学ができない、覚えられないと悩む学生に対して、私がする質問はただひとつ、「生涯のうち、何時間集中して音を聞いたか」です。

多くの生徒は、ほとんど聞いたことがないと答えます。せいぜい教材に付属するCDを途中まで流して聞いた程度で、なかには開封すらしていないという強者（つわもの）もいます。これでは、いつまでたっても、身につくわけがありません。

私が1回45分のテレビドラマ40回分を3日かけて見るということを何セットか行なってきたと説明すると、ほとんどの生徒が驚きます。

初級の外国語を勉強するときは、ラジオ講座のCDを通学・通勤中ずっと集中して聞いていますから、一般の学生が1年間に聞くくらいの分量を1日で聞いているかもしれません。

大学生になっても、「アメリカ英語とイギリス英語って発音が違うらしいね」ということを聞きかじりで話す人がいますが、アメリカ英語とイギリス英語の音声の違いは、ちょっと聞いてみれば誰でもわかるほど、はっきりとしています。

もし、疑問に思う人がいれば、ハリーポッターの映画版と、他のハリウッド映画の音声を聞き比べてみてください。映画版ハリーポッターは、イギリス英語で話されていますから、違いが歴然です。ちなみに私は、アメリカ英語のDVDをひたすら聞いて勉強した関係で、イギリス英語となると、リスニング能力が極端に落ちてしまいます。それくらい違うのです。

さらに、私の専門である中国語という言語は、発音が悪いと、まったく通じないという代物です。一般的に中国語を学ぶとき、まず発音から徹底的に指導します。カタカナ式で表わすと同じ「アー」としかならない、4通りのイントネーションの発声練習をくりかえします。いわゆる「四声（しせい）」です。実際のところ、中国語は、日本人にとって音声以外はあまり難しくありません。

日本語には、同音異義語がたくさんあって、文字にすると漢字によって判別できますが、音声では、単独の語で区別できないのです。そういったこともあって、音声ではなく、文字で読解するクセがついてしまっているのかもしれません。

しかし、外国語は違います。中国語ほどではないにせよ、音声学習をまったく無視していては、言葉そのものが成り立たないのです。

ですから、できるだけネイティヴに近い話し方をまねようとする意識、そのためには、とにかくひたすら聞こうとする意識が必要になってきます。

そして、聞き流さずに、できるだけ自分の感覚で観察することを心がけなくてはなりません。実際の音のつながりがどうなっているのか、それは日本語の場合とどう違うのか、そういったことを自分で考えることによって聞き取りの能力は向上し、発音も変わります。

重要な言葉は強調される

もう一度、先ほどのテレビドラマ『フレンズ』の中のシーンを確認してみましょう。

レイチェル：Wow, this is so cool.

このセリフを話すとき、レイチェルは、"this" と次の "is" をほとんどつなげて発音してしまっています。これらの語が、たいした情報価値を持っていないからです。そして、"so" の音は一転して高く、そして長く伸ばして発します。とにかく「すごい！」ということを伝えたいので、"so" を高く伸ばすのでしょう。

フィービー：Can I borrow the phone? I wanna call my apartment and check on my grandma.

英語では、ある単語の語尾が子音で終わり、次の語が母音で始まる場合は、通常くっつけて発音します。ここでは、“Can I” が「キャンナイ」と発音され、“check on” も、「チェク・オン」と区切らずに、「チェコン」となります。ここでの “on” は、意味が弱いため、音も弱くなるのです。話者にとって重要な語が強く発声されるのは、当然のことでしょう。こういったことは、多くの人が知識として知っているはずなのですが、実際にまねようとする人は少ないのです。そして、つなげて発音されると、とたんに聞きとれなくなります。

チャンドラーとジルの会話の部分も再び見ましょう。

ジル：I'm fine. I'm just stuck at the bank ATM vestibule. ... No, I'm not alone. I don't know, some guy.

チャンドラー：Oh, some guy. I am some guy.

ジルの最初の“I'm fine. I'm just stuck…”の部分では、“I'm”は2つとも弱く短く発音され、一方、“fine”と“just stuck”が長く強調されています。“I'm not alone.”の“not alone.”もひとつながりになって、「ノッタローン」に聞こえます。“I don't know”の部分は“don't”の“t”と、“know”の子音“n”がぶつかるため、“t”が“n”に吸収されて発音されています（“t”と“n”は発音する場所が同じです）。

最後のチャンドラーのセリフ“I am some guy.”の“am”はそれまでの“am”とは異なり、比較的長くアクセントをつけて読まれています。それは、「私こそが」というニュアンスを強めているからです。

学校の授業でも、どこを強く読むかということを教え、テストでも出題されていると思うのですが、単に意味から分析させているだけで、実際にその発声をまねようとは学びません。これでは意味がないのです。「音声のルール」といったようなガイドブックを頼る前に、自分なりに音のつながりを分析してみようという気になることが大切です。

聞き分けられる音、聞き分けられない音

では、実際に発音の訓練や分析をする場合、どんな点に気をつけたらいいのでしょうか。

個々の「母音」と「子音」から見ていきましょう。発音に留意するとき、たまに「口の形を見ろ」と教えている教師がいるのですが、これだけでは正確とはいえません。音声は、口の外形だけでなく、口の内部の形によっても大きく異なるからです。

発声というのは、まず肺から出た空気を、のどにある声帯を通過させ、鼻と口に送り込むことで成立します。

このとき、出てくる空気を妨害せずにそのまま外に出す音が母音です。ですから、母音は連続で発音することができます。その音は、口の開けぐあいや舌の位置によって決まります。

例えば、日本語で「ア、エ、イ」と順番に発音してみてください。「ア」のときにもっとも口が開いていて、「エ」になると少し舌が上にあがります。「イ」になるとさらに舌が上に、そして前に出ていることに気がつくでしょうか。「イ」の次に「ウ」と発音すると、今度は舌が奥に引っ込みます。「ウ」の次に「オ」と出すと、今度は舌の位置が下がります（顎（あご）が下りる感じです）。

子音はどうでしょうか。子音とは、肺から来た空気をどこかで妨害してから出される音です。

例えば、「タ、ナ、ラ」と発音してみてください。

舌はどういう動きをしているでしょうか。歯茎の後ろにいったんくっついて、そこから舌が離れるときに音が出ているのがわかるでしょうか。

[t]、[n]、[l] という3つの子音は発音の仕方がとてもよく似ています。言語によっては、[n] と [l] の区別をしません。

香港人に、「ハシモト、ナーメン食べる？」と言われたことがありますが、これは香港の言葉である広東語では「ナ」と「ラ」の区別がないためです。英語でも、“better”を実際にアメリカ人が発音しているとき、「ベラー」と聞こえることがあります。理屈を言えば、アクセントが最初の“e”にあるからで、英語では、アクセントのある母音のうしろは、あいまいになる傾向があるのです。

ちなみに、日本語の「ラ行音」は、英語の [l] の音とはちょっと違います。英語の [l] は舌先を日本語よりもべったり歯茎につけて出しているイメージです。口の内部の形がどうなっているのか、個々の言語に詳しい解説のある本を探して、それを参考にしましょう。

大人になると、聞いた音をそのまま反復する能力が失われるので、口の中がどうなっているのか理論的に知る必要があります。慣れてくると、音を聞けば口のどのあたりで発音しているのか、だいたいわかるようになります。いままでどうやって発音するのか意識していなかった人は、そのことを意識するだけでずいぶん違います。学習する言語の音を自分なりに分析してみるようにしましょう。カタカナ式発音とはまったく違う音で出しているはずですから。

先ほど、発音のときには空気を鼻と口に送り込むと書きましたが、鼻が詰まっているときに発音しにくい音は、鼻に空気を送り込んで、出している音です。

鼻をつまんで「あ、い、う、え、お」と言ってみてください。言えますね。次に「か、き、く、け、こ」と言ってみてください。これも言えますね。では、「な、に、ぬ、ね、の」はどうでしょう。苦しいと思います。ふだん意識はしていませんが、「な、に、ぬ、ね、の」は鼻に息を抜いて発音しているためです。

では、同じ「ん」で表わされる日本語の発音では、どうでしょうか。「アンナイ」と言うときの「ん」は、舌先を歯茎の裏につけて発音していますが、唇は開いています。一方、「アンパン」というときの「ん」は、唇を閉じており、実際にはmの音を出しています。「ホン」というときの「ん」は、舌は下に下がったままで、鼻に息を抜いています。日本人は普段意識していませんが、言語によっては、舌先を歯茎の裏につける「ん」と、つけないで出すときの「ん」の音を区別します。

実際に、中国語、韓国語、フランス語といった言語では、日本人が区別していない「ん」の音を区別して発音し、また聞き分けてもいます。

このように、発音の形態は、言語によって根本から異なっています。日本語の経験から容易に判断してはいけません。

“strength” をどう発音するか

次に音節の話をしましょう。音節とは、音の基本的な単位のことで、ひとつの母音を中心にして、その前後に子音がついてできています。

日本語では、ひらがな、カタカナで表わされる「ア、イ、ウ、エ、オ」が基本的な音節です。日本語の音節は基本的には、ひとつの子音とひとつの母音、あるいは母音だけから成り立っています。わずかな例外がありますが、子音で終わる音節もなければ、子音が2つ以上連続するということもありません。

ところが、英語などでは違います。例えば “strength” という語は、“e” という母音を中心とした、ひとつの音節です。その母音の前に “s” “t” “r” と3つも子音が重なっていますし、“e” の後にも

“n” “g” “th” と3つも子音が重なっています。

ところが、この単語をカタカナで表記すると、どうなりますか。「ストレンクス」です。日本人は、ひとつの音節である “strength” を「ス」「ト」「レ」「ン」「ク」「ス」という6つの「単位」で認識しています。ここで、音節ではなく、単位（モーラ）という言葉を用いたのは、この2つが微妙に異なるためです。

私たちが実際に「ストレンクス」を発音するときも、さすがに「ス、ト、レ、ン、ク、ス」というように6つの音節までにはなりません。おそらく “storenkus” くらいの感じになっているのではないでしょうか。それでも、もとの言葉は1音節ですから、それが4つか5つの音節で発音されてしまうのが、ほとんどです。

高低か、強弱か

発音に関して日本人が特に注意するべき点は、個々の母音や子音だけではありません。アクセントが重要です。日本語のアクセントは、平板アクセントなどと呼ばれていますが、専門的には「ピッチアクセント」とも言います。例を見てみましょう。

あめ（雨）HL　　あめ（飴）LH

はし（箸）HL　　はし（端）LH

HとLは発音の高低を表わし、Hは“high”「高」、Lは“low”「低」のことです。「雨」という単語を発音するときは、「ア」が高くて、「メ」のほうが低くなります。「飴」の場合は逆で、「ア」のほうが低くなります。「箸」と「端」の場合にも、このような高低の違いがあります。

このように、日本語のアクセントは音と音との間の高低で決まっています。とはいっても、一定の型があります。標準語のアクセントパターンを見てみましょう。

ろくがつ　LHHH
のこぎり　LHHL
あかさか　LHLL
かまきり　HLLL

四文字の単語でいうと、理論上は別のアクセントも可能です。HLHL、LHLH、HHHH、LLLL、HLLHなどなど、2の4乗で16パターンつくれるはずなのですが、実際にはそうはなっていません。

ためしに「ろくがつ」をLHLHの高低で読んでみ

てください。下がって上がってまた下がってもう一度上がるというリズムです。これではまるでロボットが喋っているみたいになってしまいます。

標準語における単語の発音では、一度高い音から低い音に落ちると、もう二度と高い音に上がることはないという規則を持っています。標準語の話者であれば、4文字からなる単語を発声するとき、無意識のうちにLHHH、LHHL、LHLL、HLLLの4パターンのアクセントをつけているのです。

ですから、この4パターンが「日本語っぽい音」だということになり、それ以外のパターンで高低をつけられると、「日本語っぽくない音」と感じてしまいます。これはアクセントのパターンですが、子音と母音の組み合わせでも「〜語っぽい」というパターンがあります。

この「〜語っぽい」という感覚は非常に大切なもので、もちろん日本語だけでなく、外国語にもあるわけです。

そういった感覚は、たくさんの音声を聞けば、なんとなくわかってきます。「〜語っぽい音の組み合わせ」が体得できると、記憶も簡単になります。私はそのことをロシア語の習得の過程で強く感じました。

日本語のアクセントは平板アクセントですが、外国語の苦手な人というのは、アクセントの型がまったく違う言語であっても、わざわざこの平板なアクセントで話そうとしているように思われます。

そして、実際に試してみればわかるでしょうが、平板アクセントで話すと、驚くほど通じません。やはり、それぞれの言語について、まず、耳から学ぶべきではないでしょうか。

ここでは、英語の例だけあげておきましょう。英語のリズムは、強弱アクセントで、ある部分だけを強く読むことで成立しています。つまり、日本語の高低ではなく、強弱です。強く発音することを“stress”「ストレス」といい、日本語では「強勢」と表現されます。

アメリカ人が話す日本語を聞いていると、単語の一部だけがやたらと強く発音されていることがありますが、これは英語のストレスの影響を受けてしまっているからです。逆の見方をすれば、きれいな日本語が喋れる外国人とは、平板アクセントで喋ることのできる人です。

日本の英語学習でも、ストレスの位置は覚えさせられます。「“Japanese”の強勢は、第1音節“Ja”じゃなくて、第3音節“ne”のほうにあるんだな」というような論理的な知識だけはあります。ただし、音声というのは文字ではなく、あくまでも音声ですから、それを耳から覚えなくてはならないのは言うまでもありません。

日本人の外国語のアクセントが平板になってしまうのには、学習時の発音練習やリスニング教材に、大きな原因があります。

通常、発音練習のときには、まるでロボットのように、機械的な練習を行なっていますが、実際の会話の場面ではそんなふうには話しません。私たちは英語のアクセントは単語ごとに決まっているものと思い込みがちですが、文のリズムしだいによっては、アクセントをずらして話すことがあります。つまり、“Japanese”の“Ja”を強く読むケースも結構あるのです。

ちなみに、日本語の標準語の場合、原則的に単語ごとにアクセントが決まっており、これを文単位で変動させることはあまりありません。しかし、私の出身地である北関東では、文の調子にあわせて単語のアクセントを無視することがあります。

日本の学校教育でも、単語ごとのアクセントの位置は覚えさせられても、文単位でのリズムに関しては、ほとんど触れられていないのではないでしょうか。

べつに理論的に知っている必要はありません。音声をたくさん聞いて、実際のアクセントパターンに慣れることが王道です。

さらに、友達と話すなら友達と話すようなトーンがありますし、改まった場合のトーン、興奮しているとき、怒っているとき、冗談を言っているとき、いずれもトーンが違います。アクセントは、こういう語調とも密接な関係があります。これも理論で勉強するより、テレビドラマなどから自然なリズムを習得するほうがずっと実際的です。

だいたいにおいて、怒っているとか、興奮しているとか、悲しんでいるというのは、言語を超えて共通していますから、そんなに難しいことではありません。音声を聞かなかったり、棒読みの教材しか聞かなかったりするから、わからないだけです。

文字に頼らない

独学で勉強する場合には、どうしてもインプットから入らざるをえませんが、使える言葉にするためには、やはり発音の練習が必要になってきます。

みなさんは発音練習をするときに、どのように行なっているでしょうか。文字を追いながら発音していませんか。実際に相手と話すときには、目の前にある文字を見て発音することはありません。

新しい単語や例文、小説の文、テレビドラマや映画のセリフを読むとき、ひと工夫してみてください。まず、ある表現を目で見て、喋るべき内容を頭の中にインプットします。それから、その言葉を目の前にいる誰かに向かって語るつもりでリピートするのです。

日本語ならそう難しくないでしょう。しかし、外国語で喋ることに慣れていない人は、すぐにはできないものです。文字を見ないで、伝えるべきことを音声で表現するバーチャルトレーニングになります。

新しい単語を覚えるのにも、自分で例文をつくってみることが、よい訓練になります。ただし、絶対に文字で書いてはいけません。日本人はすぐ書き出して、その文字に頼ってしまいますが、これによって音声からはますます遠ざかってしまいます。

必ず音声だけで相手に伝えるつもりで喋らなくてはなりません。これができないということは喋れないということです。

テレビドラマであれば、その登場人物になりきってセリフを口にするのもいい方法です。私は『フレンズ』のチャンドラーという人物がお気に入りで、よくそのセリフをまねて練習していました。

初級の段階ではスキットを丸暗記するのもよいでしょう。中級レベルになると、丸暗記は時間がかかるので非効率的ですし、単なる音声自動再生装置になってしまう恐れがありますので、お勧めしません。

才能をムダにするな

できるだけ死んでいない言葉を聞き、自分なりにその音を分析するよう心がけることが重要だと、何度も書いてきました。

これは言語学習以外にも言えることですが、知識は与えられるものだと考えているようでは、それ以上のレベルには到達しません。受験や試験の勉強では、上から正しいと決められたことを覚え、理解すればよかったのかもしれませんが、ここから先は、言われたことをやっているだけではダメです。

教える側の立場としても、一流大学といわれるところの教員ですら、ひたすらテストで学生たちを縛って管理し、勉強させたと思い込んで満足しています。学生に教えることではなく、授業を円滑(えんかつ)に進めることに主眼があるからです。語学ができればテストもできますが、テストができても語学ができるとは限りません。といいますか、テストができる学生の大多数が、語学をできるようになっていません。

テストができるのであれば、それなりに細かいことまで暗記したり理解したりする才能があるということですから、それでもできないのならば、取り組み方が悪いのでしょう。才能をムダにしていると思ってください。逆に、テストというのは、わざと難しくつくってあるわけですから、こんなものができなくても、使える語学を習得することは可能です。

日本の語学教育は、テストができても語学ができないという人を養成しています。「語学のできない人たちが語学のできない人たちを再生産するシステム」に従順にのっかっていても、当然のように語学のできない人になります。そのことに気づくか気づかないかが、最初の分かれ道となります。

●言葉の「意味」とは何か

言語によって異なる世界の分け方

ここからは、語彙の習得について考えていきましょう。外国語を学習する際には、何より文や語の「意味」を理解しなければなりません。

ところで、言葉の「意味」とは何でしょうか。

伝統的なヨーロッパの言語学では、意味とは、その**指示対象**のことであると考えられてきました。例えば「ゴキブリ」という言葉は、あのおぞましい、黒くて足が速く、狭いところが大好きな虫のことを指していると考えます。この考え方によれば、まず世界に事物があって、言語というのはそれにラベルを貼るように名前をつけているということになります。

このようなものの見方を、「言語名称目録観」と呼んだりします。この言語観は、古代ギリシャ時代から根強くあるものです。プラトンの「イデア論」という言葉を習ったことがあると思います。イデアは、アイディアという語の祖先です。イデア論によれば、人間のアイディア、つまり頭の中で考えることは、人間の認識に先立って存在しています。それを私たちは感じとり、言語で表わすのです。

ここでいうところの言語の違いとは、イデアに対応する音声（あるいは文字）の違いです。ある動物がいて、英語ではそれを“dog”と呼び、フランス語では“chien”と呼び、日本語では「イヌ」と呼んでいると考えていました。

長らく欧米人を支配してきた、この古代ギリシャ以来の言語観を大きく変えたのが、ソシュールです。

のちに現代言語学の父と呼ばれることになるソシュールは、言語に先立つ実質の存在を否定しました。もともと存在する事物や世界に対し、各言語が後天的に名前をつけているのではなく、**人間こそが言語によって世界を分けている**とソシュールは考えました。そして、「世界の分け方」は言語によって異なってくる、としたのです。

世界の分け方が言語によって異なるということは、複数の言語を知ればすぐにわかります。もっともわかりやすい名詞の例から考えてみましょう。

私たちがご飯を並べるのは“table”の上です。勉強するときには“desk”でします。英語では“table”と“desk”は別の概念ですから、異なる語で表わされているのです。ところが、日本語ではどちらも「机」と呼びます。これは、「机」という語を通して、“table”と“desk”を同じものとして認識しているということです。必要に応じて、「食卓机」「勉強机」「仕事机」といった用法が出てきます。

また、親族呼称はこういった言語間の違いを見るのに最適です。人間関係は、各言語における世界の分け方の違いを如実に表わしているからです。

英語では、「弟」と「兄」を一括して“brother”と呼び、「妹」と「姉」を一括して“sister”と呼びます。英語では年齢が上か下かは考えません。

また、日本語では「おばあちゃん」「おじいちゃん」は母方でも父方でも変わりませんが、中国語では母方と父方で呼び方が異なります。

ゴキブリ、カブトムシ、フンコロガシ

以前、モロッコでサハラ砂漠に行くツアーに参加したことがあります。このツアーにはさまざまな国籍の観光客がいました。砂漠には、『ファーブル昆虫記』でもおなじみのフンコロガシが何匹も走り回っていました。フンコロガシを見たのはそれがはじめてでしたが、なぜか日本人はこの砂漠にいる生物を「フンコロガシ」と呼んで、そう認識しています。

ところが、この虫を見たアメリカ人は、“beetle”と呼んでいました。“beetle”というと、日本人は「カブトムシ」のことを思い浮かべるところですが、実際には硬い殻(から)におおわれた黒っぽい虫全般を指す言葉です。

英語話者の認識としては、カブトムシとフンコロガシは同じカテゴリーに属するようです。一方でスペイン人は、この生物を見て“cucaracha”と呼んでいました。“cucaracha”とはゴキブリのことです。

日本人の感覚から言うと、ゴキブリとフンコロガシは形状が大きく異なるように感じます。しかしそれは、私たちが「ゴキブリ」と聞いて思い浮かべるのが大型のゴキブリだからです。寒い地域のゴキブリはサイズが小さくなるので、このスペイン人の感覚では“cucaracha”で表わされるイメージは小型のものであ

り、それとフンコロガシは似たものだったのでしょう。以前、中国のテレビドラマで、「大量のゴキブリが死んでいる！」というおぞましいセリフがあって、地面が映し出されたのですが、小さい虫がたくさん転がっていたので、拍子抜けしたことがあります。

和語と漢語

同じような例はいくらでもあげられます。あるとき、日本語がほぼ完璧にできる中国人に対して、「(ポットの中に入っているのは) 水？」と聞いたところ、そうだと言うので、カップに入れると、「お湯」が出てきてびっくりしたことがあります。

その中国人は、ポットの中身がお湯であることはあらかじめ知っていました。もちろんいたずらをしたわけでもありません。中国語では、お湯と水を同じカテゴリーとして認識しているので、日本語の会話でも、とっさにそうだと言ってしまったのだそうです。

日本語では、お湯と水は完全に別物ですが、英語や中国語ではそれぞれ“hot water”「熱水」と表現し、「水」の一部という認識なのです。

ここで、お湯も水も科学的には同じものだから、英語や中国語のほうに一理がある、と考えるのはナンセンスというものでしょう。言葉というものは、科学による分類方法とは異なります。日本人にとって、熱いお湯と冷たい水は明らかに異なるカテゴリーなのです。

言語によって世界の分け方が違うということは、「和語（わご）」とそれに対応する漢字の書き分けにも表われています。和語というのは、本来ある日本語のことです。これに対応するのが「漢語（かんご）」、すなわち昔の中国語です。日本語は大きく、もとからある和語、中国由来の漢語、西洋由来のカタカナ語によって構成されています。

さて、「足」と「脚」は、和語ではどちらも「あし」と言います。私たちがいま使っている日本語では、なぜ同じ「あし」という和語を「足」と「脚」に書き分けるのでしょうか。それは、本来の和語の感覚では、股（また）から先の部分はすべて「あし」であるのに、漢字では足首から先の部分（足）と、そこに到るまでの部分（脚）を区別しているからです（ところが、現在の中国語の「脚」は日本語の「足」の意味に転化しています）。

うっかり変換間違いをしやすい語に「速い」と「早い」がありますが、これらも同じです。和語ではスピードが速いことと時間が早いことを区別しません。どちらも「はやい」です。しかし漢字では、これらを「速」「早」というように区別します（おもしろいことに、「足」と「脚」、「速」と「早」は、英語でも、それぞれ“foot”と“leg”、“rapid”と“early”というように区別されています)。

もともと中国の言語の概念を表わしている漢字を和語に当てはめているために、このような書き分けが生まれたのです。もうひとつ、次の例を見てください。

鏡に映る　／　ノートに写す　／　家を移る

漢字では「映」「写」「移」というように書き分けられていますが、和語の「うつす・うつる」も、本来的にはひとつの概念を表わしていました。

では、この3つの用例から考えられる、和語「うつす・うつる」の中心的な意味は何でしょうか。それは、「Aの位置にあるものをBの位置に移動させる」という意味です。「鏡に映る」では、何かあるものが、鏡の中に移行していますし、「ノートに写す」は、黒板か何か別のところに書いてある言葉をノートの表面に持ってくることです。「家を移る」は、それまでの家から別の家に移動することを表わします。「映る」「写る」「移る」は和語としては同一語なのですが、現在の日本語話者は、ひょっとすると同じ語とは意識していないかもしれません。みなさんの中の語感ではどうでしょうか。

辞書には、なぜ複数の「意味」が載っているのか

このように、言語によって世界の分け方は異なってきます。先にあげたのは、多くは物質を表わす名詞でした。この種の名詞に限って言えば、言語を超えて、世界の分け方が一致することのほうが多くなります。「犬」や「イヌ」と“dog”や“chien”の概念はだいたい一致するといっていいでしょう。

しかし、もっと抽象的な概念を表わす言葉になってくると、各言語による世界の分け方が対応しにくくなってきます。それぞれの価値観や文化の成り立ちがまったく異なっているからです。

英語の辞書を引くと、実に多くの訳が出てきて、どれを選ぶべきか、困った経験のある人も多いと思います。

なぜひとつの英単語に、たくさんの日本語訳が対応しているのでしょうか。たまに「英語ではひとつの言葉しかないところを、日本語はなんて豊富な表現を持っているんだろう！」とカン違いをする人がいますが、これは見当違いもいいところです。英語と日本語とでは**世界の分け方が大きく異なる**ために、ピッタリと対応する日本語がないからです。ひとことで対照さ

せられる語がないので、複数の「意味」を列挙するしかありません。

この点、中日辞典をめくると、それほど多くの「意味」は載っていません。これは、日本が古くから中国の言葉を取り入れてきた歴史があるため、日本語にある漢語の概念と一対一で対応することが多いためです。このため、中国語の語義の習得は、多くの日本人にとって比較的容易です。

英語の例に戻りましょう。“upset”という単語があります。この単語を英和辞典で引くと、最初の意味として「ひっくり返す」というのが出てきます。

私は高校のとき、英語の時間にこの単語を含む文を当てられて、とっさに「ジョンはひっくり返った」というような日本語訳をつくり、先生に「おー、それはないんじゃないかな」と笑われた失敗談があります。

辞書を引くと、“upset”には、「(人物が)うろたえる、心を乱す」という意味もありました。そこで、単語帳の“upset”のところに、新しく「うろたえる」を加えればよいのかといえば、そうではありません。これでは、“upset”の語感をとらえたことにはなりません。「ひっくり返す」という意味も、「うろたえる」という意味も、同じ“upset”で、ひとつの言葉のはずです。

改めて調べてみると、この単語は、“set up”（立てる）から派生した言葉だとあります。「立てる」を文字どおり「ひっくり返した」のが“upset”で、これがもとの意味です。ひっくり返されて、「しっちゃかめっちゃか」な状態になるのが、この語の拡張的な意味だといえます。

ですから、「ひっくり返す」と「うろたえる」という2つの意味がある、といった従来型の覚え方ではダメです。この2つがそのまま当てはまらない例文に出会ったら、それこそ“upset”してしまうでしょう。

驚きなどで「しっちゃかめっちゃか」になっているイメージを、ざっくりとつかめば十分ですし、それが“upset”のもとの意味にもかなっています。あとは例文の前後の意味から、適当な日本語訳をつくればよいだけです。

“object”には、5つの「意味」がある？

抽象的な語になると、たくさんある日本語訳を「覚える」ことは、さらに困難なものとなります。英和辞典で、“object”という単語を引くと、次のような日本語訳が出てきます。

①物　②対象　③目的、目的語　④客体、客観
⑤反対する

中学・高校のころの私は、このような「すべての意味」を丸暗記しようとしていました。しかし、それではやはり文字と文字とをつなげているだけであって、英語の語感を理解していることにはならないと気づきました。

こんなにたくさんの日本語の「意味」があるように見えて、英語ではたったひとつの語です。この“object”も、少なくとも5つの意味があるように見えて、本来は「ひとつの意味」なのです。和語の「うつす・うつる」が、ひとつの意味であるように。

「物」と「反対する」が同じだなんて、にわかには信じがたいかもしれませんが、これが別の意味であったなら、別の語となっていたはずです。

では、“object”とはどんな語なのでしょうか。手もとにある英和辞典を引いてみますと、最初にラテン語起源の言葉であることが記され、次にそのもとの意味は「反対に投げる」ことだと書いてあります。

反対に向かって投げること、これが“object”の中心的な意味です。この概念を図に表わしてみましょう。

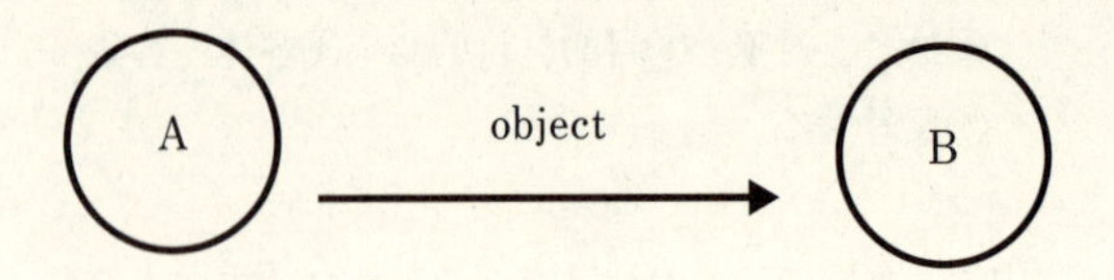

日本語訳である①〜⑤の意味は、すべて上図のイメージの中で説明できます。このイメージをざっくりとつかむことが、すなわち語感を身につけることでもあります。

⑤の「反対する」は、もはや明確でしょう。「反対に投げる」が中心の意味なのですから、AからBに向かって反対に投げかけるというのは、もっとも中心的な意味に近いといえます。

では、②の「対象」、③の「目的」、④の「客体、客観」とはどういうことでしょうか。実はこれらの意味も、一括でとらえることができます。学校で習ったS＋V＋Oの文型を思い出してください。

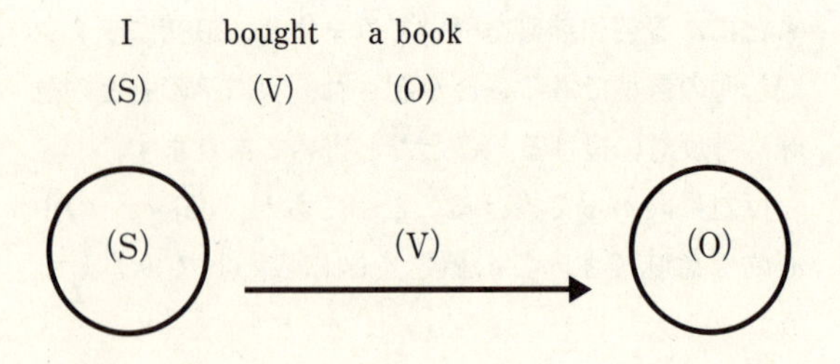

動作を行なう主体（S）が、何らかの行為（V）を、何かに対して（O）行なう。このときの（O）、すなわち動作の「②対象」が“object”です。これを文法的に言うと、“subject”（主語）の「③目的語」です。

さらに、「④客体」も、「主体」の反対であって、動作が行なわれる対象のことを指す言葉です。「客観的に見る」とは、ものごとを外側から対象として見るということです。そして、西洋の考え方では、客観的に観察可能なものは何かといえば、「物体」です。これが①の意味です。

このように考えますと、“object”は、やはり“object”以外の何ものでもありません。英語としては、ひとつの言葉なのです。単語を覚えるときは、「中心の意味」をとらえるようにしましょう。

シニフィアンとシニフィエ

ソシュールの話に戻りましょう。ソシュールは言語に先立つ実質の存在を否定し、言語が世界を分けているのだと考えたと述べました。もう少し詳しく述べると、ソシュールは、**言語とは記号である**と考えました。

「記号」などと聞くと思わず身構えてしまいますが、例として信号のことを考えましょう。赤信号は「止まれ」を表わし、青信号は「進め」を表わしています。しかしこれは、単にそうルールで決めたから、そうなっているだけのことであって、かりに赤信号を「進め」、青信号を「止まれ」であると決めれば、そういうことになっていました。これが記号です。

このとき、赤信号の「赤」を「シニフィアン」(意味するもの)、「止まれ」を「シニフィエ」(意味されるもの)と、ソシュールは名づけました。

シニフィアン、シニフィエは、ともにフランス語です。カタカナで表記すると、何やら難しいのですが、アルファベットで書くと、"signifiant" と "signifié" ですから、こちらのほうが意味が伝わりやすいかもしれません。英語で言うところの "sign"(サイン)と同源の言葉です。

シニフィアンは現在分詞なので、英語の "signifying"(意味している)、過去分詞であるシニフィエは "signified"(意味された)だと言えば、もっとわかりやすくなるでしょうか。

さらにソシュールは、言語の意味とは、**このシニフィアンとシニフィエの恣意的な結合**であるとしました。信号の場合、シニフィアンは「赤」という色で、シニフィエは「止まれ」の意味でしたが、両者が恣意的に結びつけられているというのです。

これを言語に当てはめれば、「イヌ」という音がシニフィアンで、あの従順で愛すべき動物の概念がシニフィエ（その音によって表わされるもの）であるという関係になります。

「イヌ」というシニフィアンで表わされるシニフィエと、“dog” というシニフィアンで表わされるシニフィエは、おおむね同じですが、「ゴキブリ」というシニフィアンで表わされるシニフィエ（一般的に大きく黒い虫のイメージ）と、“cockroach” というシニフィアンで表わされるシニフィエ（一般的に小さな虫のイメージ）は完全には一致しません。この音声とイメージ（概念）の結合した記号が意味をなすのです。

他の語との関係を考える

そして、ソシュールの言語学において、もうひとつ重要な指摘があります。それは、「語は体系をなす」です。これだけでは何のことだかよくわかりませんね。

別の言い方をすると、「言語の意味は、他の語との関係によって決まる」ということです。つまり、**単語の意味は、それ単独で決まるのではなく、他の語との違い（関係）によって決まる**というものです。まだわかりにくいかもしれません。具体的な例を見てみましょう。

例えば、「母」という言葉があります。この「母」という概念は、はたしてこの語単独で決まるでしょうか。そうではありません。ある女性がいたとして、その人は「子」を持った瞬間に「母」になるのです。また、「父」という言葉も、「子」がいてはじめて成り立つ言葉です。「子」もまた、「母」や「父」との関係において「子」です。つまり、「母」と「子」、「父」と「子」は互いに関連しあって、そこではじめて意味が成立しています。

「父」と「母」も互いに関係しています。両者は、ともに「子」に対して「親」ではありますが、これとは別に、「父」は「男性」、「母」は「女性」という性質を持っています。「男性」や「女性」という性質は、生殖との関連で意味が決まってくるものです。

このように、語の意味はその語だけで決まるものではなくて、他の語とネットワークをつくることによって、はじめて決まってきます（ソシュール言語学のこの考え方が、その後の構造主義と呼ばれる哲学・思想の流行につながっていきます）。

言語の学習において、他の語との関係性を意識することは、たいへん重要です。対義語や類義語との関連性をつなげていくことによって、記憶はより強固なものとなります。

ちなみに、「対義語」というのは「反対の意味」の言葉にとらえられがちですが、実際には類義語の仲間です。「母」と「父」の例では、「子」に対して「親」であることは共通していて、違うところは性別だけです。つまり対義語とは、他の要素は共通していながら、ある一点においてのみ違う言葉のことです。

テレビドラマや小説などを通して新しい単語に出会うと、私は、その対義語や類義語の記憶を頭の中で検索します。「なんか前にも似たような意味の単語が出てきたなあ」と思うことは誰しも経験があるでしょうが、そう思ったときは、そのままにしておかないでください。

学習段階では、たとえ対義語や類義語を知っていたとしても、すべてを思い出せるわけではありません。そういうときには、すぐに辞書を使って調べましょう。

例えば、「深い」という単語を記憶する際にも、「浅い」という単語は何であったかを気にする習慣をつけてください。

実際に調べてみて、「浅い」という単語がまったくの初見であれば、そこでムリに覚える必要はありません。ここで、いったん記憶の片隅に残しておくという作業が、あとになって役に立ちます。一方、すでに知っている単語というのであれば、新しく出てきた「深い」と「浅い」の記憶のリンクができあがります。リンクができれば、その記憶はまた一段と強固なものになって、忘れにくくなります。

●語感を身につける

「言葉は道具」か？

言葉をコミュニケーションのための「道具」に喩(たと)える表現があります。私のようにただ言葉が好きなだけの人間と違って、一般の人は外国語を習得して、その結果、何ごとかをなすことのほうに主眼があるわけですから、「言葉は道具」というとらえ方をするのは、もっとも当然のことのように思われます。

ところが、ある何カ国語もできる友人が、かつて「言葉を道具だとか言っている人は、外国語ができないよね」と言ったのを聞いて驚いたことがあります。この友人は私のような言語マニアではなくて、商社でバリバリ働いている、きわめて現実主義的な男です。むしろ、いかにも「言葉は道具」と言いそうな業界の人でした。

「言葉は道具」という比喩(ひゆ)は、いったいどういうところから出てくるのでしょうか。このセリフには、外国語を習得するにあたっての、たいへん重要な秘密が隠されています。

道具というのは、ハンマーとか、パソコンとか、自分の外側にあるものです。そして、それらは特定の目的に対して使用されるために存在しています。このモデルを言語に当てはめてみましょう。「言葉は道具」という考え方の場合、その重要な目的は、あらかじめある伝達内容を聞き手に伝えることです。そのために、自分の外側にある言語という道具を使用するということになります。

しかし、このような考え方を取る人は、実は語学ができない人なのです。なぜなら、ソシュールが明らかにしたように、言葉というのは、伝えるべき内容とそれを表わす言語形式とが一体になったものであって、切り離すことができないものです。

また、言葉を把握するには、その言語の体系の中に入っていく必要があります。けっして自分の外側にある道具ではありません。

外国語を自由に操(あやつ)れる人の頭の中では、言葉は道具ではありません。世界と一体になっていて、切り離すことのできないものです。

最古の和語

語と語の連関という意味では、もうひとつ、**形態素**（けいたいそ）に注目する方法がたいへん有効です。

言葉をよく観察してみると、ランダム（適当）に音声を組み合わせて意味をつくり出しているわけではありません。実は、比較的少数の形態素といわれるものが組み合わさってできているものなのです。

形態素とは何かというと、言葉の原子みたいなものです。水が酸素の原子と水素の原子とが組み合わさってできているのと同じように、言葉も形態素と呼ばれるものからできあがっています。これを和語の例から考えてみましょう。

和語が記録されている最古の書物は何か、ご存じでしょうか。それは日本の書物ではありません。そう、通称『魏志倭人伝』（ぎしわじんでん）と呼ばれているものです。正確には『三国志』の中の『魏書』の中の最後に収められている「東夷伝」（とうい）の中のこれまた最後のほうに書かれている、わずか2000字あまりの記載です。

2000字あまりとはいえ、『魏志倭人伝』には、古代にあった和語を当時の中国語に音訳した語が多数出てきます。当時の中国語の音はある程度推測可能なので、『魏志倭人伝』に記録された古代の和語の音もいくつか推定できるわけです。

さて、『魏志倭人伝』では、倭人が住むとされている土地は現在の対馬(つしま)から始まります。この対馬には長官がいて、その名前を「ヒナモリ」と言う、と書いてあります。

ヒナモリの「ヒナ」は、おそらく「ひなびたところ」の意味で、「都」の対義語だろうと考えられており、「モリ」は「守」に当たるものだろうと推定されています（「火な守」、で、すなわち灯台のような施設の管理人という説もあります）。

「マモル」の「マ」、「サカナ」の「サカ」

「守」は、現代の日本語では「マモル」と読みますが、本来的には「モル」だけで「マモル」の意味を表わしていました。では、この頭につく「マ」は何かといえば、「目」の意味です。「目」は単独で使用するときには「メ」ですが、後ろに何かつくと母音が変わって「マ」になるという法則があります。

この「メ」や「マ」が、先ほどの形態素です。形態素「マ」を含む他の言葉を考えてみましょう。

例えば、「マブタ」は「目のふた」という意味ですし、「マツゲ」は「目の毛」の意味（「ツ」は「ノ」の意味）、「マナコ」は「目の子」で、「瞳」を表わします。

実は、「前」の「マ」も、これと同じ形態素です。「エ」は「方向」という意味ですから、「マエ」とは「目の方向」という意味になります。「窓」もそうです。この語を分解すると、「目＋戸＝マド」という構成になっています。

したがって、「マモル」は、本来的にはこれだけで「見守る」の意味です。「マ」が「目」であるということが忘れられてから、「見」が追加されたのでしょう。

ところで「メ」は後ろに何かつくと母音が変わって「マ」になると言いましたが、こういう母音の交替は日本語ではよく起こることです。

その典型例が「サカナ」です。いまでも「酒の肴(さかな)」という言葉が残っていますが、「サカナ」も本来的には「魚」に限らず、「酒菜」であり、酒と一緒に食べるものを指しました。その「サカナ」の代表が「魚」であったために意味の転化が起こりましたが、「魚」のもとの和語は「ウオ」です。

また、ここでも「サケ」が「サカ」という音に変わっています。このような音の変化法則がわかると、他の語との関連性も意識できると思います。

例えば、「高い」は形容詞ですが、「丈」と同じ形態素を持ちます。「タケ→タカ」と母音が変わっているだけです。「岳」も同じ言葉で、山の高い部分のことを指しています。

古文学習は、語感をつかむ重要な機会

皆さんは、「いったい何のために古文なんか勉強させられるのか」と考えたことはありませんか。「べつに古典を原典で読むわけではないし、単なる教養だというのなら勉強する時間がもったいない。そのぶん正しい敬語や英語を教えてもらったほうが、将来の役に立つんじゃないか」と。しかし、これは大きな間違いです。古文の授業こそ、言語習得の第一歩と考えなくてはなりません。

私は、古文を学習するときにも、形態素にもっと注目して、語と語の連関を理解するべきだと思います。外国語の単語帳と同じように、左側に古語を書いて、右に現代語訳を書き、それを丸暗記したところで言葉に対する認識は深まりません。和語の**語感をつかむ**ことが重要です。よく知られた源氏物語の冒頭部分を見てみましょう。

いづれの御時(おおんとき)にか、女御(にょうご)、更衣(こうい)あまた①さぶらひ給(たま)ひけるなかに、いとやむごとなき②際(きわ)にはあらぬがすぐれて時めき給ふありけり。はじめより、我はと思ひあがり給へる御かたがた、③めざましきも

のに貶(おと)しめ妬(そね)み給ふ。同じ程、それより下臈(げろう)の更衣たちは、ましてやすからず。朝夕の宮仕(みやづかえ)につけても、人の心をのみ動かし、恨みを負ふ積(つも)りにやありけむ、いとあつしくなりゆき、もの心細げに里(さと)がちなるを、いよいよ④飽(あ)かずあはれなるものに思(おぼ)ほして、人の譏(そし)りをもえ憚(はばか)らせ給はず、世の例(ためし)にもなりぬべき御もてなしなり。

①の「さぶらひ」(さぶらふ)は、身分の高い人のためにそばにいて仕えるという意味ですが、のちに貴族の荘園の警備員的役割としてさぶらっていた人たちが「サムライ」と呼ばれるようになったのは、ご存じの方も多いことと思います。

②の「際」はここでは「身分」の意味ですが、それを暗記しても仕方がありません。この「キワ」は、「髪のはえぎわ」や「波打ちぎわ」と現代日本語でも用いられるのと同じように、「境目」のことです。「境目」から「身分の階層」へと意味が広がっています。境目まで到達することを「極める(キワメル)」と言いますし、境目ギリギリのことを「キワドイ」と表現します。すべてつながりがある言葉なのです。

③の「めざましき」は「心外だ、気にくわない」という意味だと参考書には書いてありますが、当然

「目」「覚ます」といった言葉と関係があります。目が覚めるほど驚嘆する気持ちが「めざましき」です。

④の「飽かず」は「秋」という言葉とも関連します。食べ物が十分に（飽きるほど）ある時期を「秋」と言うわけです。

もう少し例を見ましょう。

> ⑤かしこき御蔭をば頼み聞えながら、おとしめ疵を求め給ふ人は多く、わが身はかよわく、⑥ものはかなき有様にて、⑦なかなかなるもの思ひをぞし給ふ。

⑤「かしこき」という言葉があります。古語の「かしこし」は、現代日本語の「(頭が) かしこい」の意味ではなく、「恐ろしい」「すばらしい」「尊い」といった、およそ3つの意味があるということを教わります。

しかし、この現代語訳の丸暗記では、テストで点が取れるだけのことで終わってしまいます。ここの文脈では、源氏の母である桐壺が、帝の「かしこい（畏れ多く尊い）蔭」にすがっていながらも、彼女を貶めようとする人が多い、という解釈が一般的です。

「かしこし」の中心的な意味は「恐ろしい」でしょ

う。恐ろしいということは、畏れ多いという言葉ともつながりますが、畏れ多い人物とは「尊い」人物です。また、すばらしい人を畏れ多いとする意味合いから「すばらしい」という意味にもつながってきます。「すばらしい」の典型的なものが「頭がいい」ですから、このニュアンスが現代日本語に残っているわけです。

古文の授業やテストでは、いかにも「かしこし」が現代日本語のそれとは別物であって、さらに3つの訳を使い分けるように教えられるわけですが、「かしこし」はあくまでも「かしこし」であって、この語の概念は、いまも昔もそれほど変わっていないということです。古文においても、こうした言葉のイメージ、語感をつかむことが大切です。

「かしこし」の家族に、「かしこまる」という言葉があります。畏れ多い人の前ではかしこまりますね。よく似た音の語には、何か関連があるのではないかと疑ってみてください。同じ形態素を含んでいれば、似た概念を表わす語であることが多いのです。

⑥の「ものはかなき」の「はか」は、「計る」「はかどる」「はかばかしい」などの語と家族です。

⑦の「なかなか」という語は、「中」を重ねた語です。「なかなか」とは上でも下でもなくて、真ん中く

らい、というイメージを持っています。

このように、語と語の連関をつなげていくと、言葉への理解は深まり、記憶は強固なものとなります。

漢語の音声と語感

言葉は、基本的には音声です。和語の言葉の関係性で見ても、音声が同じ言葉は、もともと共通のイメージを持っていることが多いのは当然のことでしょう。

日本語に非常に大きな影響を及ぼした中国語という言語は、漢字を使用していますが、同じ音の場合には、本来的には同じ語であったものを別の文字に書き分けていると考えられます。次の例を見てください。

中、昼、柱
低、底、弟
口、空、孔
葉、鰈、蝶

最初の「中、昼、柱」はすべて音読みで「チュウ」です。音読みとは、中国語の発音を日本語でまねしたものですから、中国語で同じ発音であったならば、音読みも同じになります。

この3つの漢字から共通のイメージが見てとれる

でしょうか。中国語の「チュウ」という音は、まさしく「真ん中」という意味を表わしていると考えられます。太陽が出ている時間のうち、真ん中の時間帯のことを「昼」という漢字で表わし、家を支える中心となるものを「柱」という漢字で書き表わしていますが、もとは同じ語だと考えられます。

次の「低、底、弟」というのも、音読みではすべて「テイ」です。これは「ひくい」という意味が中心の意味で、物体のうちもっとも低くなっている部分を「底」と書き表わし、年齢が低いものを「弟」と書き分けています。

「口、空、孔」は、からっぽの空間のことを指します。「口」は人体のうち、穴が開いているところです。「空」という字は、日本では「そら」の意味にも使われますが、中国語にその意味はなく、「空(から)っぽ」の意味です。「孔」の訓読みは「あな」ですから、やはり空間を表わします。

最後の「葉、鰈、蝶」は、どうでしょうか。日本語の音読みでも現代中国語の読みでも音が違いますが、すべて字形に「枼」を持っています。同じ字形を含むとは、同じ音符(おんぷ)を持っているということで、つまり古代においては同じ音だったという歴史を示しています。

この3つの漢字に共通するイメージはわかりますね。すべて「薄っぺらく、ヒラヒラしたもの」です。中国語では、こういった形態のものを同じ音で表わしていました。植物のうちヒラヒラしている部分が「葉」、魚類の中で薄っぺらいものが「鰈」、虫類の中で薄っぺらいものが「蝶」です。

中国文明は、文字を発展させた言語ですが、音声の面をきちんと見ることも大切だということがわかります。こういった話に興味のある方は、ぜひ藤堂明保（とうどうあきやす）氏の著作をお読みになってください。

ちなみに、日本語の音読みで同じ音を持つ漢字は、現代中国語でも同じ発音であることがほとんどです。このことからも、中国語はある一定のレベルに達すると語彙の習得が容易になるのです。

とにかく、利用できる知識はすべて利用して、知識のネットワークをつくりあげることが、記憶を強固にするコツです。

英語の形態素と語感

さて、私たちにとって身近な和語と漢語の例から、語と語の関係性と、同じ音声の語が持つイメージについて説明してきました。

日常、いわゆる現代日本語を使って生活しているぶんには、こういうことはほとんど意識していないと思います。こういう知識をわざわざ求めなくても、形態素や語感は自然と身についているものなのです（ちなみに、いましがた使ったばかりの「わざわざ」という語は、「技」「わざと」「わざわい」などと関係する言葉です）。

しかし、外国語の場合にはそうではありません。特に大人になってからの学習では、人工的に語感を把握する必要がありますし、新しい単語を覚えなくてはなりません。このため、常に**形態素を意識しながら覚えること**は、きわめて有効な学習方法となります。ヨーロッパ言語の語彙はかなり共通していますから、あらかじめ英語などでヨーロッパ言語の形態素になじんでいると、フランス語やドイツ語、スペイン語などを勉強しようと思ったとき、大いに役に立ちます。

先ほど“object”の例を出しましたが、これは“ob”（切り離された）と“ject”（投げる）とに分解することができます。

その言葉のイメージをつかむためには、文や場面の中でどう使われているのかを把握することが重要ですが、この形態素からも、おおよそのところはつかむことができるのです。頭の中で他の単語との関連ができあがることで、その語単独で暗記するよりもはるかに強く定着するのは、言うまでもありません。

例えば、“object”の“ject”（投げる）という形態素を持つ、別の言葉を考えてみましょう。

DVDのリモコンに“reject”というボタンがあります。これを押すと、DVDを入れるところが開いて、外に出てきますね。“re”は「反対に」とか「何度も」といった意味を表わす形態素なので、「反対側に投げ出される」というのが“reject”の語感です。

“injection”は、「注射」ですが、“in”（中に）の形態素をともなって「中に入れるもの」の語感をつくり出しています。必ずしも注射だけに限らず、「中に入れるもの」を表現したいときは、この語を用いることができます。

また、“project”の“pro”は「前へ」を表わしています。「前へ」とは比喩的に将来のことでもありますから、「将来に向けて視線を投げかける」のが、“project”です。前方に像を映し出す機械である“projector”という語もあります。

“pro”が出てきましたから、ここから派生する語もあげてみましょう。“professor”の形態素“fess”は、「話す」という意味なので、“professor”とは「前に向かって話す人」のことです。“professor”が、なぜ「教授」「先生」の意味なのか一目瞭然(いちもくりょうぜん)でしょう。
　ついでに“fess”が含まれている語もひとつ見てみましょう。“confess”の“con”は、“with”の意味ですから、これが“fess”と結びついて「ともに話す」の意味になります。そこから、「秘密をうちあける」の意味が導き出されているのです。
　形態素を軸にして考える語と語の関連は、際限がありません。こういう知識は、たいていの辞書には載っていますから、文脈の中で出て来た単語を調べ、別の語とのリンクをつくることを常に意識しましょう。
　慣れてくると、文字列を見るだけで、およその意味の推測がつくようになることがあります。これが、語感を身につけるということです。

言葉の由来から語感を考える

　ただ単語の日本語訳を暗記するだけでは、語彙の持つイメージやニュアンスをつかむことはできません。イメージやニュアンスをきちんと理解していない言葉は、死んでいる、使えない言葉です。
　語感をつかむには、何よりもまず、生きている場面とつなげることです。改まった場面なのか、友達とふざけ合っている場面なのか。王様のセリフなのか、子供のセリフなのか。新聞に出てくる言葉なのか、コミックの吹き出しで用いられた言葉なのか。さまざまな場面の中で、何度も同じ語を見れば、そのイメージやニュアンスはたいていわかってくるものです。

辞書レベルで語感をつかむ方法について、さらに考えてみましょう。

例えば、日本語で「ケガをした」という言葉と「負傷した」という言葉とでは、どう違うでしょうか。表わしている内容は似ていますが、ニュアンスは違います。「負傷した」のほうが明らかに硬い言葉です。

理由は簡単で、「ケガをした」は本来の和語であるのに対し、「負傷した」は中国語由来の漢語だからです。和語よりも漢語のほうが硬いイメージの言葉になります。さらに、明治以降ではカタカナ語が増えました。カタカナ語は現代的で新しいイメージを持つので、本来の言葉が古めかしいニュアンスになることもあります。

ですから、「口づけ」「接吻」「キス」と並べてみると、ずいぶん印象が違います。こういったイメージの違いは、明治以降にできあがっていったものでしょう。

森鷗外(もりおうがい)のデビュー作である『舞姫(まいひめ)』は、現代人である私たちから見ると、難しい言葉ばかりが使われているように感じますが、当時の教養のある階級は、幼いころから漢文を死ぬほど暗記させられていますから、必ずしも古めかしいイメージはなかったのでしょう。

一方、この作品ではカタカナ語もときどき使われています。そのうち2例をあげましょう。

今宵(こよい)は夜毎(ごと)にこゝに集ひ來る骨牌(かるた)仲間も「ホテル」に宿りて……

一種の「ニル、アドミラリイ」の氣象(きしよう)をや養ひ得たりけむ……

「ホテル」や「ニル、アドミラリイ」のカギ括弧(かつこ)は、原文からあるものです。鷗外の自筆原稿を見ると、句読点はつけられていません。句読点をつけるという習慣がまだ定着していなかったのです。しかし、「ホテル」のカギ括弧はつけられています。

「ホテル」は、現在、ごく普通の言葉になっています。ところが、カギ括弧でくくられていることから、明治20年代当時は、一般には認知されていない、ハイカラな言葉として受けとられていたのだと思います。

一方、「ニル、アドミラリイ」というのは、現代の私たちにも耳慣れない言葉です。「何ごとに対しても関心を持たない」という意味で、ラテン語由来の言葉です。

いまの日本においても、英語由来の言葉よりフランス語由来の言葉のほうがオシャレなイメージがあります。フランスじたいにオシャレなイメージがあることに加えて、英語だと身近すぎるという感覚があるのでしょう。外国語は外国語でも、どこの言葉を用いるかで、文の持つイメージに変化をもたらすことができます。

英語の中にあるラテン語

英語の語彙にも、日本語の和語、漢語、カタカナ語のように、さまざまな由来を持つ語があります。

まず、英語の本来語がベースとしてあります。これはゲルマン系に属する語なので、ドイツ語などの親戚に当たります。このベースとしてある古い英語に、最初に影響を与えたのは、ケルト語、ラテン語、それに古ノルド語でした。

古ノルド語は、バイキングと呼ばれる人たちの言葉です。やはりゲルマン系で英語に近い言葉だったため、数多くの語彙が英語に取り入れられました。"get"、"take"、"give" など、日常でよく使う単語に、この古ノルド語由来の言葉があります。古ノルド語経由の言葉は、英語本来語とも近い関係なので、特に区別して覚える必要はないでしょう。ただし、辞書には書いてあります。

そして、非常に大きな影響を与えたのは、フランス語です。1066年にノルマン・コンクエストという事件が起こりました。当時、フランスのノルマンティー地方には、ノルマンティー公国というバイキングが打ち立てた国があり、ここの人たちはバイキングでありながら、フランス語を話していました。この国が、イギリスを征服したのです。

それからしばらく、宮廷ではフランス語が使用されていました。さすがにそのうちに征服者たちも英語を使用するようになっていったとはいえ、大量のフランス語が英語に混入することになりました。フランス語はラテン語の子孫ですから、それを通じて、やはり大量のラテン語系、ギリシャ語系語彙が入ることにもなりました。

形態素のところで登場した“object”、“inject”、“reject”、“profess”、“confess”などは、すべてラテン語系由来です。接頭辞の“re”だとか、接尾辞の“tion”などがついている語は、基本的にラテン語系と考えてよいでしょう。

英語の本来語とラテン語（およびギリシャ語）系の

言葉との違いは、日本語における和語と漢語の違いに近いところがあります。ラテン語系のほうが硬いニュアンスが出ることが多いので、ニュースなどではラテン語系の言葉が好んで使われます。

例えば、「延期する」には、“put off” と “postpone” の2つの表現がありますが、前者が英語の本来語、後者がラテン語系の言葉です。やはり “put off” より “postpone” のほうが硬いイメージがあります。

余談ですが、英語では「動詞＋前置詞」で表わす概念を、ラテン語系では「接頭辞」で表わすことが多くなっています。“postpone” の “post” は「後ろに」を表わす接頭辞で、“off” に対応するものです。また、“pone” は「置く」の意味ですから、“put” に対応しています。おもしろいことに、前後が逆になっています。

また、同じ「ケガをする（負傷する）」を意味する言葉として、“wound” という英語の本来語と、“injury” というラテン語系の語が併存しています。これなどは、まさに「ケガをする」と「負傷する」とのニュアンスの違いによく似ています。

英語系の語とラテン語系の語では、音の響きがまったく違います。出て来た単語を辞書で調べる際に、語源の欄に目をやる習慣をつければ、そのうち調べなくてもだいたい推測できるようになると思います。すると、ニュアンスの異なる英語系の語とラテン語系の語を感じ分けられるようになります。

なぜ、"to" を用いる動詞と用いない動詞があるのか

英語の本来語とラテン語系の動詞には、ニュアンスの違いだけでなく、文法面に違いを及ぼしている例もあります。「与格交替(よかくこうたい)」という現象です。「与格」というのは、とりあえず「〜に」を表わす目的語と考えてください。

例えば、「私は一郎に本をあげる」(いかにも文法書にあるような文で失礼します) は、次の2つの文で表現することができます。

I give Ichiro a book.
I give a book to Ichiro.

「一郎に」の部分が与格です。これを最初の文のように "give" の直後に持ってくるパターン、"a book" の後ろに持ってきて、前置詞つきの "to Ichiro" とするパターンの2通りを授業で習ったと思います。

実はこのうち、"to" を使うほうの構文は、本来の

英語にはない文法でした。フランス語の影響でつくられたものです。

ですから、“donate”、“contribute”、“transfer”、“explain” など、フランス語起源の動詞の場合、「～を」と「～に」の二重目的語を取る構文はつくることができず、“to” を用いなくてはなりません。

I explained the process to him.

辞書には、“explain” などの動詞では、“to” を使って「～に」を表わすことしかできず、“I explained him the process.” は成立しないと書いてあります。

“explain” のもととなったフランス語の動詞 “expliquer” は、間接目的語を表わすのに、前置詞の “à” を使用します。ちなみに、いまもってラテン語系の言葉では、原則として二重目的語を取った文をつくることができません。

しかし、英語になって、“à” を直訳した “to” が誕生すると、“give” など多くの動詞は、“to” を用いる構文と用いない構文の2通りが可能になったのです。

こういった話をフランス語学習者の何人かに話してみたところ、ずいぶん感動し、「何で英語の先生はこういうことを教えてくれないのか」と言っていました。しかし、彼らがこの事実をおもしろいと感じたのは、フランス語を学習したからです。英語しか知らなければ、同じ話にもそれほど反応しなかったことでしょう。

複数の言語を学習する意味

複数の言語を学習することは、すでに学習した言語を相対化することにつながり、お互いの底上げも可能になります。

語彙レベルで、英語、フランス語、スペイン語を対比してみましょう。

英語	フランス語	スペイン語
school	école	escuela
study	étudier	estudiar
scribe	écrire	escribir
scout	écouter	escuchar

こうして並べると、対応関係がよくわかります。

フランス語を習いはじめると、早い段階で"école"(「学校」)や"étudier"(「勉強する」)といった単語を学習することになります。ただし、これが英語の"school"や"study"と同じ起源を持つ語であることは、なかなかすぐには気づきません。

ここにスペイン語を加えてみると、より対応関係は明らかです。英語で頭の"s"の部分が、フランス語で"é"となって、スペイン語では"es"になっていますが、この部分を除けば、後半の部分は驚くほどよく似ています。もとは同じ言葉なのです。

次の"scribe"、"écrire"、"escribir"も、もとは同じ言葉です。フランス語の"écrire"とスペイン語の"escribir"は、ともに「書く」という意味の基本的な語彙(英語では"write"に相当)で、英語の"scribe"は「書く人」という意味になっています。"scribe"は、少し上級の語彙です。"script"という語も同じ言葉から派生していますが、こちらも「書かれたもの」という意味でコンピュータのスクリプトや、「脚本」の意味でよく使われます。

最後の"écouter"や"escuchar"は、英語で言えば"listen"にあたる言葉で、「聞く」を表わす基本語彙です。これに対応する英語は"scout"ですが、こちらは「聞く」から派生して、周囲に耳を傾ける⇒あたりを見回す⇒偵察すると変遷し、「スカウトする」の意味になりました。

もう一例、「カフェオレ」と「カフェラテ」についても述べておきましょう。

日本の飲料業界では、両者は使い分けられており、「カフェオレ」がコーヒーに牛乳を足したもの、「カフェラテ」はエスプレッソコーヒーに牛乳を足したものという定義になっているそうです。

カフェオレはフランス語で、"lait"（「レ」と発音）が「牛乳」を意味します。一方、カフェラテの"latte"はイタリア語でやはり「牛乳」を表わしますから、どちらも「牛乳入りコーヒー」の意味です。"lait"と"latte"は、綴（つづ）りが似ていることからもわかるとおり、起源は同じで、ともにラテン語から来た同じ言葉です。古いフランス語では、綴りどおりに「ラァィト」のように読んでいたはずです。しかし、フランス語は二重母音をなくす方向で発展したため、"a"と"i"がくっついて"e"に変わり、また語尾の子音も発音しないようになっていったので、"t"も消えたため、結果として「レ」という発音に落ち着きました。

ちなみに、"a"と"i"がくっつくと"e"になる現象は日本語にも見られます。「長い nagai」は、男言葉では「ナゲー nagee」と変化します。「嘆き nageki」という単語も、本来は「長息 nagaiki」から変化した単語だとされています。

フランス語やスペイン語を学習する際にも、すでに持っている英語の語彙との連結を意識していけば、より広がりのあるものになるでしょう。私の経験を振り返れば、それは英語力の強化にもつながります。

しばしば、「英語もできないのに、第二外国語の学習をさせるのは、いかがなものか！」と主張する英語教師がいます。海外経験が長く、英語だけできるようになったタイプの英語至上主義者に、特にこの傾向が強いように思います。一般の学習者も外国語と言えば英語のため、英語を中心にした考え方になりがちで、この手の独善的なものの見方を後押ししてしまっています。

これとは逆に、英語にない現象を日本語に見つけると、「日本語は独特だ！　他の言語より美しい！」というような勝手な文化論を主張する人もたくさんいます。しかし、英語にはなくても、中国語や韓国語には日本語と同じような表現があることはしばしばです。これも英語至上主義の別の形の現われです。

英語じたいは類型論的に分析すると、けっして普遍的な言葉ではありません。何よりも、言葉としての優劣があるわけではありません。英語ではない言語を少しでも学習することによって、英語を相対化して眺めることが可能になりますし、言葉というものに対する感覚も鋭くなります。

擬音語、擬態語と語感

ひとつの語を形態素に分解してワードイメージを膨(ふく)らませる方法について述べましたが、ラテン語系語彙は分解が容易なのに対して、英語の本来語は分解できない語が多くあります。ここでは、擬音語や擬態語由来と思われる語彙のイメージのつかみ方にも言及しておきましょう。

しばしば、日本語は擬音語や擬態語が豊富であると言われます。たしかに、これは一面では事実ですが、完全に正しいわけではありません。他の言語でも、擬音語・擬態語由来と考えられる言葉は、実際には私たちが思うよりも多くあるのです。

中国語の例からあげてみましょう。「猫」という字は、音読みでは「ビョウ」ですが、古い中国語では「ミャオ」だったようです（mとbはともに唇をあわせて出す音なので、よく入れかわります。「さみしい」「さびしい」を考えればわかりますね）。「ミャオ」と言えば、猫の鳴き声を表わしたものだということが理解できるでしょう。「犬」の音読み「ケン」は、「ケンケン」と鳴いているからです。日本人の感覚とは微妙に違いますが、理解不能というわけではありません。

どうも、中国語で動物を表わす言葉は、擬音語由来の言葉が多いようです。

「氷」という字は「ビン」と発音しますが、これは擬態語のようです。日本語でも「氷がピンと張る」という言い方をしますが、この「ビン」という氷のイメージが、音にも表われています。

また、電車の切符や映画のチケットなど、ピラピラした物体を「票」と書き、「ピャオ」と発音します。「ピャオピャオ」は、日本語の「ピラピラ」となんとなく似ています。なお、「漂」も同じく「ピャオ」と発音します。日本語でいうところの薄くてピラッとしたイメージ、ヒラヒラと漂うさまをピャオと表現しているようです。

これらは品詞としては名詞や形容詞になりますが、擬態語由来と言っていいでしょうし、日本人の感覚でもなんとなくイメージをとらえることができます。

中国最古の詩集である『詩経(しきょう)』を読むと、非常に多くの擬音語・擬態語が登場しているのに気づきます。現在使われている言葉でも、擬音語・擬態語由来であったはずの言葉は意外に多いのだろうと思っています。

英語も同じです。わかりやすい例からあげてみましょう。まず、“bomb”(「爆弾」)は、どこから見ても擬音語由来の名詞です。日本語でも「ボン」と爆発しますから、ほぼ語感そのままにとらえることができるでしょう。次に、電話などが「鳴る」という意味の動詞“ring”。これは「リンリン」と鳴る音を動詞化したものです。マウスなどをクリックするという意味の“click” も擬音語だとすぐわかるでしょう。

ちょっとわかりにくい例では、“clash”(「ぶつかる」)が擬音語です。日本人の感覚では、ぶつかったときにクラッシュという音はしません。ただ、イメージを膨らませればなんとなくわかるような気もします。

“chuckle” と “giggle”(どちらも「くすくす笑う」)は、小説でしばしば使われる動詞ですが、これらも擬音語由来の言葉です。「クック」というような音でしょうか。

擬音語というのは、実際の音を感じとって言語化したものですが、一方の擬態語は、何らかの音をうつしたものではありません。

「雪がしんしんとふる」や「教室がシーンと静まり返る」という場合、「しんしん」や「シーン」という音が実際に出ているわけではありません。「シーン」の場合、静まり返っているのですから、音はしませんね。

しかし、日本人はなんとなく「しんしん」「シーン」という言葉で、静寂なイメージを感じとることができます。

外国語の擬態語らしき言葉に対しても、このようなイメージを膨らませることが大切になります。“flash”（「光る」）などは、擬態語っぽい言葉です。「シーン」と一緒で、光るときにそういう音が鳴っているわけではありませんが、日本人の感覚でも一瞬きらめく閃光（せんこう）のイメージをなんとなく感じることができるのではないでしょうか。日本語でも、「ヒカリ」という語は、「ピカッ」という擬態語と同源なので、擬態語と言っていいでしょう。

辞書には擬態語とは記されていませんが、“shut”（「閉める」）もそのような響きです。「シャッ」と閉めるイメージでしょうか。同じような響きの語に、“shatter”（「粉々になる、撒（ま）き散らす」）があります。これは「ガシャーン」というイメージでしょうか。“splash”（水をはねあげる）も擬態語っぽく感じられる語です。

“chuckle”、“giggle”、“flash”、“shut”、“shatter”、“splash”といった語は、形態素に分解できません。正確にいうと、“chuckle”と“giggle”は、“chuck”“gigg”までが擬音で“le”は「反復」を表わしています。

こういった古い英語の擬音語・擬態語由来の言葉

は、ラテン語系語彙と比べて、その音の響きの違いをなんとなく感じられるのではないでしょうか。

こういう言葉と出会ったときには、想像力を使ってその様子を思い浮かべ、思い浮かべた様子と音とを連結する訓練をしてください。教室が静まりかえっている様子が日本語で「シーン」という音としかつながらないように感じられるように、水が跳ね上がるさまは「スプラッシュ」としか感じないようになれば、しめたものです。

●言葉の「一般常識」を捨てよう

日本語がわからないと、外国語もわからない

使える外国語を身につけるためには、日本語をできるだけ介さずに、その言葉の語感をじかにつかむことが大切です。また、いったん日本語に翻訳するほうが、実際にはひと手間かかる、面倒な作業であることも述べました。これには、日本語と外国語では世界の分け方が違うからだということも、すでに述べたとおりです。

日本語では当たり前の表現でも、外国語に置きかえるとぴったりくる言葉がないことはよくあります。そういう場合には、日本語が表わしている概念をよく吟

味する必要があります。

このとき、文字から文字の変換をするのではありません。有名な例ですが、「辞書を引く」をそのまま“draw a dictionary”とは言わない、というような話をどこかで読んだり聞いたりしたことがある人は多いでしょう。親切な辞書には、「正しくは“consult a dictionary”とか、“look up in a dictionary”という」というようなことが記されています。

こんなことが大まじめに書いてあるのは、意味もよく考えずに、日本語の文字をそのまま外国語の文字に写しかえる作業が当然のことになってしまっているからでしょう。“draw”の正しい語感である「(物理的に) 引っ張っていく」を知っていれば、これが「引き出し」の「引く」であっても、「辞書を引く」の「引く」でないことは明らかです。

翻訳がいかに難しいかは、日常的な言葉でもピタッとくる外国語がなかなかないことからもわかります。「やさしい」は日本語では日常的に用いられる語ですが、これを英語で表現するとどうなるでしょうか。

すぐに思いつく語は“kind”です。しかし、「やさしい」と“kind”はちょっと語感が違います。“kind”は直訳すると「親切な」ですから、親切にあれこれやってくれるという意味の「やさしい」の意味にはなります。しかし、日本語の「やさしい」はどちらかというと、「温和な」というようなニュアンスを含んでいますし、「あの先生はやさしい」といえば、「甘い、厳しくない」という意味にもなります。

日本語の「やさしい」は、「痩せる」の語源にもなった「痩す」に由来する語です。ですから、弱々しいというか、嫋やかな語感があるので、「甘い、厳しくない」というニュアンスを含んでいるのです。

和英辞典をみると、“tender”とか、“graceful”という訳語も出ています。しかし、いずれも「やさしい」の語感にピッタリと当てはまるわけではありませんから、場合によって使い分けなくてはなりません。

中国語でも、日本語の「やさしい」にピッタリくる表現が見つかりません。英語や中国語の「やさしい」を考える前に、日本語の語感を知っておかなくてはなりません。外国語を知るということは、日本語を知ることにもつながります。

次に、味覚を表わす言葉「からい」を取り上げてみましょう。「からい」という語からは、典型的にはカレーや麻婆豆腐を食べたときのイメージなどが思い浮かびますが、大根などを「からい」と表現しますし、塩辛いも「からい」です。

英語の場合には、“hot”という語があって、カレーや麻婆豆腐の「からい」を表わすのに使えます。同時に“spicy”とも表現します。これはスパイスから来た言葉なので、ちょっと日本語の「からい」とは語感が違います。

ところが、フランス語になると、“hot”にピッタリくる言葉が見つかりません。“spicy”にあたる“épicé”か、「舌に刺激がある」という意味の“piquant”を使います。“épicé”も“piquant”も、日本語の「からい」とはピッタリとこないのは言うまでもありません。

中国語では、山椒（さんしょう）のような「しびれる辛さ」を「麻」（マー）と言いますが、「辣」（ラァ）を使えば日本語の「からい」に近い語感になります。

最初に中国を訪れたときに、いい言葉が見つからなかったのが、日本語の「とりあえず」です。日本人は「とりあえず」が大好きです（私がいいかげんだからかもしれません）。

英語でも同様で、この「とりあえず」を“first”と表現してしまうと、日本語にある「あとのことは考えなくてもいいからとにかく」というニュアンスが薄れます。“first”は、「最初」という意味でしかありません。

このように翻訳という作業は、語彙の変換だけでも一対一で対応するわけではないので、ひと筋縄ではいかないものなのです。文レベルになると、構文を変えてしまう場合も多々あり、文字から文字への翻訳はさらにたいへんになります。

英和辞典と英英辞典

単語を覚えるということは、日本語訳を機械的に暗記することではなくて、その言葉の持つイメージを把握すること、その使い方を覚えることになります。

これには、辞書を有効に活用しなくてはなりません。まず辞書と友達になりましょう。

語義の把握をするときには、語源欄を見て、その形態素に注目します。一般的な英和辞典では、名詞形と動詞形など、複数の形がある場合、どちらかにしか載っていない場合もありますから、同時に確認して覚えてしまうという手もあります。

語源と合わせ、訳語の羅列を眺めながら、その語が持つ中心的な意味の把握につとめてください。英語の場合には、オンラインで“etymology dictionary”と引くと、手軽に検索できるサイトも見つかります。

これで終わりではありません。さらに、用例を見て、その語がどう使われているのかも見ましょう。物質名詞のように、日本語訳と一対一で対応する例、

“orange” →「オレンジ」のようなものは、そのまま覚えればいいですが、抽象的な語彙の場合には、できるだけ英英辞典（仏仏辞典、中中辞典などなど）を引くクセをつけましょう。最近は電子辞書ならタッチひとつで飛べます。

英和辞典などですと、どうしてもその日本語訳にとらわれてしまいがちですから、英英辞典などの解説を見て、言葉のイメージをしっかり覚えなくてはなりません。

たしかに面倒です。しかし、単純に日本語訳を記憶していくだけでは、一見すると速くたくさん覚えられているようですが、実際には何もわかっていないという場合が多いのです。一語ずつていねいに語感を鍛えていくことが大切で、この努力が、あとになって実を結びます。受験勉強で一度覚えたことがあるなら、こういう流れを少し意識するだけで、一気に英語力は伸びると思います。

英和辞典だけでは語義をうまく把握できない例をあげましょう。“perspective” という、よく使われる語があります。手もとにある『ジーニアス英和辞典』でも、重要度を表わす星が付いています。

しかし、ジーニアス英和辞典がこの語の最初にあげた意味は、なんと「遠近法」です。思わず、「遠近法」

なんていう意味がはたしてそんなに重要なのだろうかと思ってしまいます。

2つ目の意味としては、「客観性、総体的な見方、全体像、大局観、観点、展望」とたくさんの訳語が羅列されています。「遠近法」よりかは身近には考えられますが、それでもここから、"perspective"がどう使われるのか、その語感はどういうものかを習得するのは非常に難しいと思います。たしかにこの語は頻繁に出てきますが、「遠近法」や「客観性」と訳しても意味がよく通らない場合がほとんどです。

では、英英辞典ではどう説明されているのでしょうか。電子辞書にも入っている『オックスフォード現代英英辞典』を見ると、ひとつ目の意味としてこういう説明が出ています。

A particular attitude towards sth; a way of thinking about sth.
何かに対するある特別な態度。何かに対する考え方。(sth は something の略です)

そして、例文が3つあげられています。

(1) Try to see the issue from a different perspective.

(2) A global perpective.

(3) His experience abroad provides a wider perspective on the problem.

これらを見れば、ようやく少しは“perspective”の中心的な意味がつかめるのではないでしょうか。日本語訳はたくさん出てきますが、“perspective”の中心的な概念は、ひとつしかありません。それは、“per”（～を通して）“spect”（見る）の形態素から、「～を通して見る」→「あるポイントからの物の見方」というものです。

英英辞典があげている、3つの例文を簡単に解釈してみましょう。

(1)異なった見方からできごとを見るようにしなさい。

(2)グローバルなものの見方。

(3)彼は、海外経験のおかげで、広い視野から問題に対処することができる（直訳すれば、「彼の海外経験が問題に対する広い視野を提供している」）。

このように“perspective”は、「見方、視点、視野、観点」とも訳せる言葉ですから、とてもよく使う言葉だということがわかります。こういう理解は、英和辞典で日本語訳の羅列をただ眺めるだけではすぐに得られるものではありません。

SF映画に「外交儀礼」が登場？

もう一例、“protocol”という語で説明しましょう。これも重要度の高い語です。私がこの語に出会ったのは、具体的には忘れましたが、SF映画でした。たしか、隕石(いんせき)の落下を防ごうとしているような場面だったと思いますが、「“protocol”を実行せよ」といった命令が出たのです。

とっさに辞書を引いてみますと、「外交儀礼」という訳が出てきます。しかし、場面からして外交儀礼などとは何ら関係がなさそうです。2番目の意味としては、「条約原案、条約議定書」という言葉が出て来ますが、これを当てはめてもさっぱり意味がわかりません。このときは結局、この言葉の意味を取ることを諦めました。

“protocol”はたしかに「外交儀礼」の意味で使いますし、“Kyoto Protocol”（京都議定書）のように、「議定書」の意味でも使います。しかし、「外交儀礼」「議定書」なんて、日常生活の上でそれほど重要度の高い語でしょうか。これだけではわかりません。

しかし、実際に生きた英語に触れると、この語はけっこう出てくることがわかります。やはり重要語なのです。そして、このときの意味は多くの場合で、「外交儀礼」でもなければ、「議定書」の意味でもありません。

英英辞典ではどう説明されているでしょうか。

A system of fixed rules and formal behavior used at official meetings, usually between governments.

（公式な場で使われる決まったルール、あるいはフォーマルな行為のシステム。通常は政府間同士で行なわれる）

この説明だけ見ると、やはり「外交儀礼」という意味のように感じられるかもしれません。しかし実際には、この説明の中にある一部の意味で用いられています。具体的には、「公式な場で使われる決まったルール、システム」、すなわち「正式な手順」という意味です。インターネットから拾った例文を見ましょう。

How to follow protocol at a workplace.

（どうやって職場の "protocol" に従うか）

Every workplace has its own set of customs and

regulations that it expects its employees to follow. Without protocol, the company cannot maintain organization and therefore loses control.

(どの職場にも、従業員が従わなくてはならない習慣や規則があるだろう。“protocol”なしでは、会社は秩序を維持することが難しくなり、コントロールを失うであろう)

この“protocol”を「外交儀礼」「議定書」と訳したら、意味不明になります。職場に外交儀礼なんてありませんし、議定書もないでしょう。ここでの“protocol”は、「定められたルール、手順」というような意味です。やはり実際に使われている文脈の中で語義を把握することが大切だとわかります。

語義の習得は、特に最初のうちほど、丁寧に行なっていくべきです。語感が身につけば、あとはどんどん覚えられるというのもありますが、最初に覚える**よく使われる語ほど用法が多岐（たき）にわたる**からです。

上級語彙になれば、意味や使用される場面はむしろ限定的になっていきますから、頻繁に使われる基礎的な語彙こそ、きちんと習得しておかなくてはならないのです。日本での外国語学習では、基本語彙を疎かにしたまま、上級語彙に突入しているような状況が多く見受けられます。「語彙5000語獲得！」といった発想がそうですね。こうなると、上級語彙を使うような感覚で、基本語彙を使っているのではないでしょうか。

「よく使われる語ほど用法が多岐にわたる」ということをもう一度、頭の中に置いてください。単語の中心的な意味は基本的にはそう多岐にわたるわけではありませんが、よく使っているうちに、使用方法が拡大していくものなのです。つまり、意味が多岐にわたるというよりは、使う領域や使用先が多岐にわたるようになるといったほうが適切でしょう。やはり、その場面、その文脈で語を把握する必要があります。

その若者言葉は、本当に「誤用」か

最近の日本の若者言葉にも、用法が拡大している語がいくつもあります。

例えば、「全然」という言葉に続けられるのは、本来的には否定形だけとされていました。ですから、若い人たちが「全然おいしいよ」などと言うと、大人は眉をひそめます。否定形につくはずの「全然」が肯定形にかかっているから、これは誤用だということになります。しかし、こういった「誤用」は、まったく理由なしに起こるものではありません。よく使われる言葉なので、用法が拡大中だと考えるべきです。文脈の中で「全然おいしいよ」を考えてみましょう。

A：これ、ちょっと味薄いかなあ？
B：いや、全然おいしいよ。

現在のところ、「全然」のうしろに肯定形が来る形は、上記のような会話になっていることが多いのではないでしょうか。なぜ、このような「誤用」が起こったかを知るには、Bの発話の背景を見なくてはなりません。A（料理をつくった人）が、舌に合わないことを心配しているのに対して、Bは「Aの心配（Bの舌に合わないのではないか）」を打ち消しています。

つまり、表面的な文法だけ見れば、「全然」は肯定形を修飾していますが、文脈から見れば、Bの「全然」の先には、Aの発言に対する否定があるのです。用法がずれただけのことであり、否定するという話者の意思は同じです。

このように考えますと、使っているうちに連想が働いて、用法が拡大してしまうことは、必ずしも「誤用」とは言い切れません。彼らの間では話が通じていますし、これを批判する人たちも、眉をひそめながらも、意味を理解しているのですから。誰もがこういう使い方をするようになって、誤用だと思われなくなってくると、もはや誤用ではなくなります。辞書にも登録されることになります。

「近ごろは語彙が貧困になってきた」と嘆く人がいますが、それもまったく違います。私の親の世代や、おばあちゃんの世代の人と話しても、日常で使う言葉はごく限られたものです。そして、頻繁に使う語彙ほどさまざまな場面に拡大使用され、用法も拡大しています。よく使う語彙が違うだけです。

もう一例、「やばい」という言葉を考えてみましょう。これもよく知られるとおり、本来はマイナスの意味で使われるはずの「やばい」が、若者言葉ではプラスの評価に使われることがあります。ここでの「やばい」は、「限度を超えて普通ではない」という主観的評価を表わしています。

「おいしい」の代わりに「やばい」が使われる例がしばしばありますが、これも単に「おいしい」のではなく、想像していたレベルを超過しているということでしょう。まったく意味が変わってしまったわけではありません。ただし、普通のことにも「やばい」と言い出すようになると、この言葉はたちまち垢（あか）にまみれたものになってしまいますが。言葉は生き物です。「やばい」という言葉の「誤用」が市民権を得るようになるかどうかは、今後の経過にかかっています。

話し言葉と書き言葉

「全然」や「やばい」は、まだまだ序の口です。「乱れた日本語」の王様は、何といっても「ら抜き言葉」をおいて他にありません。

この「ら抜き言葉」が、なぜ王様なのかといえば、若い人だけでなく、なかには大人も使っており、メディアなどで問題になることが多いからです。しかも、「誤用」を主張する人からすれば厄介なことに、この現象は、音韻の規則から分析すると、きわめて合理的に行なわれているのです。

音韻の話を専門的にしようとすると、前提となる知識が必要になってしまいますから、できるだけ簡単に述べてみましょう。

日本語の動詞は、活用の形によって、いくつかの種類に分類されています。「見る」は「上一段動詞」で、「食べる」は「下一段動詞」です。そういえば、学校で習ったと思い出されましたか。もう忘れましたね。

これらのタイプの動詞を「可能形」で用いるときには、「れる」ではなく、「られる」をつけるのが、正しい用法とされています。つまり、「見られる」「食べられる」とするべきところ、「見れる」「食べれる」となるのが、「ら抜き言葉」です。

なぜ、このような現象が起こるのでしょうか。それは、「五段活用」をする動詞の可能形を考えてみればわかります。「眠る」の可能形は「眠れる」であり、「ねむ」に「れる」が直接ついているのがわかります。ここでまぎらわしい事態が起こります。ある種の動詞では「+れる」が正しいとされ、ある種の動詞では「+られる」が正しいとされているということです。

話し言葉というものは、**無意識のうちに「体系を合わせよう」とする傾向**を持っています。その場合、「省略する方向」に向かいやすいという性質があります。そこで、すべての動詞について「+れる」で統一してしまったほうが、例外がなくなって話しやすくなるという心理が働きます。また、統一したところで、意味の混乱もないため、なおさらでしょう。別の解釈もできますが、いずれにしても、「ら抜き言葉」はより「合理的」な方向への変化です。

では、そもそもなぜ同じ意味を表わしているのに、より「合理的」なはずの「ら抜き言葉」が誤用とされるのでしょうか。それは、単に「見れる」は間違いで、「見られる」が正しい、とある時点で決めたからに他なりません。これ以外の理由はないのです。

ソシュールは、言語について「ラング」と「パロール」という概念を提出しました。
「ラング」とは「可能な発話の総体」とされています。ちょっと難しい表現ですが、「可能な発話の総体」とは、「ある言語において許容される文を全部集めたもの」ということです。

一方の「パロール」は、私たちが発する個々の発話のことで、「パロール」は「ラング」の中から選ばれて使われているということになります。

これをさらに単純化して考えると、「ラング」は、言語上の規則のこととなります。規則にのっとって、個々の発話「パロール」を行なっています。

ところが、この「ラング」と「パロール」は、卵と鶏の関係でもあります。すなわち、どちらが先にあるかわかりません。私たちが個別の発話を行なわなければ規則は生まれませんし、規則がなければ私たちは言葉を使えなくなります。「言葉は使っているうちに意味や用法が変化していく」というのも、まさにこのことで、「全然」のあとに肯定形を続けることは、誤用だということになっていますが、歴史的に見ると、このような個々の発話レベルにおける「新しい使い方」(パロール)が「新たな規則」(ラング)を生み出していく、従来の規則を変えていくものなのです。

にもかかわらず、「正しい文法」を定めるというのは、逆にいえば、そうではないものを誤りとして排除するということです。「ラング」は「パロール」によって変えられていくものですが、これにストップをかけるのが規範的文法であり、すなわち「書き言葉」です。

話し言葉は、出身地、社会的身分、性別、年齢など、さまざまな要素で大きく違ってきます。一方の書き言葉というのは、それらの話し言葉から抽象化されてできたものですから、いったん決まると簡単には変えられません。

日本語の書き言葉は、平安時代の文法が規範として定められてから、マイナーチェンジをくりかえしながらも明治時代まで存続していました。口語のほうはどんどん変化していったため、明治のころには相当に違うものになっていました。そこで、そのころになって新たな規範がつくられたのですが、それもすでに口語とは開きが出てきています。

このように、書き言葉と話し言葉の関係は、ラングとパロールの関係に似ています。書き言葉（抽象化された規則）にしたがって話し言葉はあるわけですが、話し言葉をもとにして書き言葉がつくられていくものです。ただし、ソシュールのいうラングは、パロールとの関係で変わっていくのに対し、書き言葉は新たに用いられる話し言葉を「誤用」として排除しようとします。つまり、固定的なラングだということです。

認知言語学と語学学習

ソシュール言語学は、「言葉が違えば世界の分け方も異なってくる」と説明してきました。世界の分け方が違うのですから、特に抽象的な言葉に関しては、その意味のズレは大きなものとなります。

このズレを乗り越えるために、形態素に注目したり、使用されている状況に注目したりするなどして、その言葉のイメージに肉薄することが大切です。“object”や“protocol”などの例からも、単語レベルにおいてすら、日本語に直接対応する概念がないことはよくあります。

しかし、日本語に対応する概念がないからといっても、まったく意味不明ということはなく、ある程度は理解することが可能です。“object”という単語が、中心に「反対に投げる」という意味を持っていて、それが「反対する」という意味にもなれば、「対象」の意味にも「目的語」の意味にもなりうることや、“protocol”という語が「外交儀礼」という意味から派生して、「定められたルール」というような意味につながることは、想像することができるのです。

それは、文化や使用する言語が異なるといいながら、人間の基本的な能力や感覚というものは、それほど大きな差はないからです。「自分の外側の世界を把握する仕方」、言いかえれば「認知の仕方」は、人間である以上は似通ってくるものなのです。

このように人間の認知能力から言語を考える言語学を特に「認知言語学」といい、1980年ころから流行しました。外国語を使用できるようにするためには、言葉の世界をつなげることが肝要であり、その世界とは概念であるということを述べました。概念とは、この世界の把握の仕方です。

認知言語学の考え方は、人間による世界のとらえ方と言語との関係を問題とするものですから、外国語学習にとってもたいへん有効なものです。最近は外国語を教える際に、少しずつ認知言語学の考え方が取り入れられるようになってきてはいますが、中・高校などの教育課程にあっては、旧態依然のままです。

ここまで紹介してきた「語の中心的な概念をとらえる」という考え方は、認知言語学のそれに近いものです。逆に、伝統的な考え方のもとでは、語彙の意味や記述をできるだけ細かく分類しようとしてきました。これは論理学中心主義的な言語記述のあり方です。しかし、言語を習得するためには、認知言語学的なアプローチで把握することが望ましいと考えています。

「硬い」から「難しい」へ

ここで、「認知の仕方の共通性」ということについて、もう少しつっこんで考えましょう。

「想像にかたくない」という表現があります。この「かたく」は、どういう意味としてとらえればよいのでしょうか。これは、形容詞の「かたし」から来た言葉です。「かたし」は、現代日本語でいうところの「硬い」です。古典に出てくる「かたし」も、基本的には「硬い」の意味で使います。しかし、同時に「かたし」は「難しい」の意味でも用いられました。

「想像にかたくない」は「想像するのが難しくない」という意味です。現代日本語では「かたし」の「難しい」という意味は、「〜しがたい」という表現に残っています。

では、なぜ「硬い」と「難しい」が同じ言葉で表わされるのでしょうか。それは、「かたいものは難しい」という**比喩(ひゆ)的な意味の拡張**がなされているからです。

英語の「難しい」に当たる語を見てみましょう。中学校で“hard”と“difficult”という2つの単語を学習したと思います。

このうち“hard”のほうは、同時に「硬い」という意味を持っています。英語と日本語というのはまったく関係ない言語ですが、「硬い⇒難しい」という共通のとらえ方をしているのです。柔らかいものを加工するのは簡単ですが、硬いものを加工するのはイギリス人であろうが、日本人であろうが難しいわけですから、こういう認識の共通性が出てくるわけです。

よく似ている「べし」と“should”

古典の助動詞「べし」について考えてみましょう。みなさんは、「べし」はどのように学習したでしょうか。手もとにある大学受験の参考書『マドンナ古文』(荻野文子著)の解説を見てみましょう。

「推量」の助動詞とひと言で言いますが、本当は、「べし」は「推量・意志・可能・当然・命令・適当」の助動詞です。「べし」が出てくるたびに全部の意味を言ったり書いたりするのが大変なので、代表で「推量」と言っているだけです。そこで、まず、この六つの意味が、すぐに頭の中に並べられるようにならないといけません。文法的な意味と訳を暗記してください。

受験参考書だと、だいたいこれと似たり寄ったりのことが書いてあるかと思います。この内容が入試に出るのだから仕方がありません。「六つの意味」は「ス・イ・カ・と・め・て」と暗記するそうです。

『マドンナ古文』でも解説されている「六つの意味」という表現は、昔の文法観をよく表わしています。できるだけ用法を細かく分類しようとしていた時代の賜物(たまもの)です。ただ、『マドンナ古文』はこれに続けて、「本当のことを言うと、厳密な訳し分けはできません。せっかくガンバロウと思っているのに、冷や水をさすようですが、『べし』は『べし』なのです」と本音を漏らしています。やはり「べし」は「べし」でしかありません。私もそう思います。

現代語に置きかえて「べし」のいくつかの用法について考えてみましょう。

彼は来るべし。
(おまえは) 行くべし！
(俺たちは) 行くべし！

「彼は来るべし」は、文脈によって「彼は来るだろう(推量)」や「彼は来なければならない (適当)」という意味になります。また、「行くべし！」を聞き手に向ける場合は、「行くのが適当だ (適当)」と「行け (命令)」のどちらにもなります。1人称で「行くべし！」と言えば、話し手の意志を表わせますし、話し手と聞き手を含めた「俺たち」であれば、「勧誘」の意味になって「一緒に行こう！」の意味になります。

このようにいろいろ並べてみますと、「べし」の中心的な意味がわかります。「当然こうだ」「当然こうであるはずだ」という主観的な判断を表わすのが「べし」です。さて、これを英語にしてみましょう。

He should come.
You should go.
We should go.

“He should come.” は、「彼は来るはずだ」「彼は来るだろう」「彼は来るべきだ」というように訳せます。“You should go.” も「おまえは（当然）行くべきだ」ですし、“We should go.” なら「勧誘」の意味で使えます。驚くほど「べし」に似ていませんか。

“should” の原型である “shall” だと、“Shall we dance? ”（「ダンスしない？」）というように「勧誘」の意味が明確ですし、“I shall return.”（「私は戻ってくる」）なら「意志」を表わしていると考えられますが、これも解釈的に言えば、「私は当然戻ってくるのだ」

という語感です。

英語でも日本語でも、「当然」という主観的な判断によって、命令したり、推量したり、意志を表わしたりするのです。ちなみに、中国語の「応該」(インガイ)という単語も同じ使い方ができます。つまり、英語でも日本語でも中国語でも、同じような意味の語彙を、同じようなシチュエーションに当てはめて使っているわけですが、これも人間の認知の仕方が似通っているからでしょう。

ついでに、英語の助動詞“will”と“would”の用法についても考えてみましょう。ご存じのとおり、“will”は「未来」を表わしますが、「〜するつもり」と訳せるように、「意志」も表わすことができます。というより“will”の基本的な意味は「意志」だと考えられます。そして、“will”の派生形である“would”は、仮定法として用いた場合、「推測」を表わし、“He would come.”なら、「彼は来るだろう」の意味となります。

英語とはまったく関係ない言語である中国語でも、「要」(ヤオ)という語を用いて、「意志、近未来、推測」を表わせますから、ほとんどといっていいほど一致しています。韓国語にも「겠다」(ケッタ)という語があって、「意志、近未来、推測」を表わせます。

これも偶然の一致ではないと思います。

認知のあり方は、やはり言語を超えて共通してくる部分が多くあるのです。

「彼の運動能力は高い」「彼の料理の腕は上級だ」といったときの「高」や「上」が、どういう状態や評価を表わしているのかを考えてみれば、そのことはより身近に実感できます。あまりにも当たり前だと思うかもしれません。では、なぜスポーツ万能のことを「運動能力が低い」と言わないのでしょうか。

私たちは、無意識のうちに「高い・上＝よい」という認識を行なっているのです。「人より上」とは、「人よりよい」ことを表わします。このようなとらえ方は、どの言語でも通用するようです。

「れる・られる」は受動態か

助動詞が出てきたので、先ほど出てきた「れる・られる」（古語では「る・らる」）の中心的な意味もとっておきましょう。

先生が話される。（尊敬）
この問題は難しいように思われる。（自発）
のび太がジャイアンに殴られる。（受け身）
この虫は食べられる。（可能）

これも受験文法の定番かもしれません。しかし、ここにあげた、さまざまな「れる・られる」も、やはり基本的にはひとつの意味だと思います。

「れる・られる」の中心的な意味は、「主体の意思とは関係なく自然にそうなる」でしょう。つまり、「自発」が中心的な意味にもっとも近いのです。

「思われる」という表現は、論文などによく使いますが、「私がそう思っているわけじゃなくて、自然にそう思えてきますよね」ということです。

「殴られる」というのも、のび太の意思とは関係なくその動作行為を受けることです。

また、偉い人のことを、自分の考え方や意思などで判断するのはおこがましいことですから、そういった場合、日本語では「自然とそうなる」という判断をすることがあります。このときは「尊敬」の意味にもなります。

そして、「可能」も、「自然とそうなっている」という意味から拡張したものと解釈できます。

ですから私は、英語の「受動態」に当たるものは、厳密にいえば、日本語には存在していないと考えています。よく問題となるのが、日本語に特徴的とされる「被害の受け身」です。「雨に降られる」というような表現がそれで、日本語ではごく自然に感じられるものです。

ところが、これを英語の受動態に翻訳しようとすると、うまくいきません。“I was rained.” みたいな言い方はおかしいですよね。「れる・られる」は、「自然とそうなる」（この場合には「勝手にそうなる」と表現したほうがいいかもしれません）ということですから、私の意思とは裏腹に「雨に降られてしまった」ということであって、けっして受動態ではないのです。私の意思とは関係なしに自然と発生する「自発」とか、私の意思とは関係なく偉い人が自然と何かをする「尊敬」（主体が人間）と同じようにとらえられるでしょう。

プロトタイプと比喩的拡張

認知言語学では、このように「中心的意味」を考えます。また、「中心的意味」と「周辺的意味」という考え方もします。

例えば、漠然（ばくぜん）と「鳥」と言った場合に、中心的になるのはどんな鳥でしょうか。たぶん、身近にいる雀（すずめ）とか、鴉（からす）になるだろうと思います。こういうイメージど真ん中のやつを「プロトタイプ」と呼びます。

一方で、ペンギンは鳥類に属していますが、「典型的な鳥」というわけではありませんから、周辺的な意味で「鳥」になります（普通に見るとあまり鳥らしくはないと思いますが、大の鳥嫌いの先輩が「ペンギンもやっぱりよく見ると鳥だ！」といって逃げ出しました。やはり鳥なのです）。

少し触れた「意味の比喩的拡張」についても、もう少しお話ししましょう。

まず、「比喩」とはいかなるものでしょうか。すぐに思い浮かぶのは、「彼は太陽のように明るい」というような例でしょうか。

ヨーロッパの伝統的な言語観では、比喩というのはまじめな言語使用ではない、言葉遊びの一種だというように考えられていました。というのも、伝統的なヨーロッパの哲学では、真理というのは人間とは独立して存在するものだからで、その真理そのものをスパッと直接的に表わす言葉がまじめなものと考えられていました。

ところが、認知言語学ではこのような考え方をしません。人間の世界の把握の仕方とは独立した言語使用を認めないのです。「太陽のように明るい」というときには、明るさと太陽を類似のものとしてとらえています。実は比喩には、「同じようなものとしてとらえる」という、人間の世界の把握の仕方が表われているのです。

さらに、認知言語学的に見ると、「太陽のように」と言っている部分だけが「比喩」なのではありません。「明るい」という表現がすでに比喩的なのです。「明るい」は、本来的には光の明るさについていう言葉ですが、「彼は明るい」というときの「明るい」は、性格が社交的で前向きであることを指しています。よく喋ったり、前向きだったりする性格は、けっして「暗い」のではなく、「明るい」のです。

「かたいは難しい」という拡張が日本語と英語で共通しているという例についても、“hard”の「難しい」という意味までを比喩と考えると、私たちの言語使用というのは、実際のところ比喩で溢れているといえるでしょう。

日本語の「かしこし」という言葉が、「恐ろしい」という意味から、「恐ろしい人は尊い」「恐ろしい人（尊い人）は賢い」というように、どんどん意味を拡張したことを考えても、言葉というのは、こういう連想ゲームのように広がっていくものなのです。

言葉とは世界の把握の仕方であるとするならば、比喩は不まじめな言語使用などではなく、それじたいがより本質的なものだということになります。

最後にもう一例。「武井咲」という女優さんがいますが、「咲」という漢字で「エミ」と読みます。「ちゃんと読める名前をつけろよ」と思った人は、漢和辞典を引いてみてください。

「咲」という漢字は、もともと「笑う」という意味であり、「さく」という意味はありませんでした。漢和辞典を引くと、「『笑』という字と同じ」とあります。「花がさく」ことを「花が笑う」と詩的な比喩で表わしていたものが、いつの間にか「笑う」という意味が忘れられて「咲く」の意味になってしまったのです。かつては「咲顔」と書いて、「エガオ」と読んでいました。この意味の転換は日本で起こったものらしく、中国語の「咲」という漢字には「笑う」という意味しかありません。

第３章
文法を習得する

●文法とは何か

帰納(きのう)的文法観と演繹(えんえき)的文法観

第2章まで、語のレベルについて述べてきました。この章では、文法面の話をしたいと思います。

私たちは、ある種のルールに従って言葉を話しています。そのルールの中で話しているから、互いに理解できるわけです。新たに外国語を学ぶときは、その言語のルールを学ぶことになります。これが、文法です。

では、文法とは、そもそもどういう性質のものでしょうか。また、外国語学習を行なう際に、どのように文法をとらえるのが適切なのでしょうか。

初級や中級の外国語の学習では、文法を「演繹(えんえき)的」に教えるのが普通です。演繹的文法とは、ひとつのルールを提示して頭に入れさせ、そこから文を派生的につくらせていくというものです。

もちろん、初級や中級の段階では、ある程度のルールを演繹的に覚える必要性があります。特にヨーロッパの言語は活用形を持つものが多いので、これはまずしっかりと習得しなくてはなりません。

しかし、さまよえる中級の段階からより高度なレベルに達するためには、この演繹的文法観を捨てなければならなくなります。

上達しない人の多くは、この与えられたルールから派生させて文をつくっていくことにこだわっています。細かい文法形式のルールについて、与えられた説明に納得すると、それで満足してしまいます。英語の受験勉強における文法問題が、あたかもパズルゲームの解き方のようになっていることにも起因しているかもしれません。

しかし、説明が与えられて満足したところで、それで使えるようになっているわけではありませんから、まだ本当にわかったことにはなりません。

では、どうすればよいのでしょうか。このとき必要になるのは、発想の転換です。基礎を学んで、次の段階に向かうとき、従来の文法観を捨て、新たな文法観に切りかえなければならないのです。

それが、「帰納的文法観」です。帰納的文法観とは、たくさんの文章がまず先にあって、そこから一定のルールを引き出しているのが文法だという観念です。

なぜ、帰納的文法観が必要になってくるかというと、文法とはそもそも帰納的なものだからです。まず先にたくさんの文があって、それに合理的説明を加えようとしてつくられたものが、各種の文法です。ですから、学者の文法観によっても、その内容、記述の仕方は異なってきますし、絶対的に「これが正しい」というものでもありません。

加えて、初学者が習ってきた文法（学校で習う文法もそうです）は、たいがいが単純化されたものなので、それをもとにするかぎり、より深い理解に進むことはできません。困ったことに、演繹的文法観の持ち主は、与えられた文法の中に、すべての事項が説明されていると思い込んでしまいがちなのです。つまり、英語の規則というのは、すべてが明らかになっていて、それを学習しさえすれば、誰しも正しい英語が使えるようになるという錯覚です。

過去と非過去とが入り混じる日本語

ところが実際の言葉には、深く追究すればするほど、説明できないことなどたくさんあります。日本語の例から紹介しましょう。

> 茶室の下の小みちを抜けると、池がある。岸近くに、しょうぶの葉が、若いみどり色で、立ちきそっている。睡蓮（すいれん）の葉も水のおもてに浮き出ていた。
>
> この池のまわりは、桜がない。
>
> 千重子と真一とは岸をめぐって、小暗い木下路に

はいった。若葉の匂いと、しめった土の匂いがした。その細い木下路は短かった。前の池よりも広い池の庭が、明るくひらけた。(川端康成(かわばたやすなり)『古都』)

ここで登場する文末に注目してみてください。全部並べると、「池がある」「立ちきそっている」「浮き出ていた」「桜がない」「はいった」「した」「短かった」「ひらけた」となります。

文末に「過去を表わす助動詞」とされる「た」がついたものと、「現在形」(正確には「非過去形」)で結んでいるものとが混在しています。谷崎潤一郎(たにざきじゅんいちろう)は、日本語のこういう特徴について、『文章読本』の中で次のように述べています。

われわれの国の言葉にもテンスの規則などがないことはありませんけれども、誰も正確には使っていませんし、一々そんなことを気にしていては用が足りません。「した」と言へば過去、「する」と言へば現在、「しよう」と言へば未来でありますが、その時の都合でいろいろになる。一つの連続した動作を叙するにしても、「した」「する」「しよう」を同時に使ったり前後して使ったり、全く規則がないのにも等しい。だがそれでいて実際には何の不便もなく、現在のことか過去のことかはその場で自ら判別がつく。

谷崎は「た」を使う文と使わない文が交互に用いられることについて、「誰も正確には使っていません」「全く規則がないのにも等しい」と述べています。本当にそうなのでしょうか。日本人なら、ここは「た」を使ったほうがいいな、使わないほうがいいな、というのを感覚的に知っています。先ほどの『古都』の例文の文末を一部変えてみましょう。

　千重子と真一とは岸をめぐって、小暗い木下路にはいった。若葉の匂いと、しめった土の匂いがした。その細い木下路は短い。前の池よりも広い池の庭が、明るくひらけた。

1カ所、「その細い木下路は短かった。」を「その細い木下路は短い。」に変えてみました。原文と比べてみてください。どう感じられますか。原文のほうがリズムがあって、つながりよく感じられます。

また、「その細い木下路は短い。」では、あたかも最初から路が短いことを知っていた感じになりますが、「短かった」にすると、その短さを体験したようなニュアンスになります。

私たちはこれを無意識のうちに使い分けているのであって、まったく規則がないのではありません。ところがこれまで、物語文において、文末の「た」を用いる例と、「非過去形」を用いる例がどのような規則で使い分けられているかは、明らかになっていませんでした。

日本語教師は、日本語を学習している外国人たちに、どのように教えているのでしょうか。質問されたら、どう答えるのでしょうか。誰もわかっていないのに、教えられるのでしょうか。

文法からだけでは、わからない言葉がある

たったいま、「明らかになっていませんでした」と書きましたが、実はこの問題は、私の博士論文の中で、だいたいの使い分けを明らかにしたつもりです。この使い分けをどのように明らかにしていったかといえば、さまざまな日本語の小説から用例を引き出し、「た」を使う場合、使わない場合、どちらでもいい場合などに分類してその法則性を見出しました。

その結果が完全に正しいかどうかはわかりません。かりに正しかったとしても、外国人がその内容を理解するのは簡単ではないでしょうし、理解したとしても

自分で使うのはもっと難しくなります。上級レベルの文法というのはそういうものです。

中級までなら、単純化された規則を学ぶことが大いに有効ですが、そこから先は同じようにやっていても上達できません。現実には、「なんでそう言うのかわからないけど、この場合にはこう言う」ということが、多いからです。

中国語の独学を進めていたころは、まだ演繹的な文法観を保持していました。学習者用テキストの文法解説を見ながら、何とか理解しようとしましたが、時として壁にぶつかりました。

例えば、中国語の難しい文法項目のひとつに、完了を表わす“了”という語があります。ひとたび文法書を見ると、この用法はとてもきれいに説明されていて、その説明さえ理解できれば、すべて理解できたように思ってしまったりします。

ところが、実際に中国語の本やドラマなどの用例に当たると、文法書に書いてあることでは理解しがたいようなフレーズがたくさん登場するのです。

私なりに理解しようとつとめましたが、うまくいきませんでした。大学に入って教師に尋(たず)ねたこともありましたが、満足な答えをもらうことはありませんでした。それもそのはずで、文法の専門家でも“了”についてはよくわからないことが多いのです。ですから、文法書をよく読めば“了”の用法が理解できるかというと、原理的に不可能です。

こういう例は探せばたくさん出てきます。たとえ専門家レベルではきれいに説明できているにしても、その説明というのも、先にたくさんの文章があって、そこから共通のルールを導き出してできたものです。結局のところ、たくさんの文章を知っていないことには、真の理解に至りません。

帰納的に学ぶこととは、「なんでそう言うのかわからないけど、この場合にはこう言う」のデータをとにかく集めることです。そして、「この場合はこう言う」に、できるだけ多く気づいていくことです。そういったこともあって、場面や文脈から切り離された文をいくら学んでも、上達しないのです。

自分なりに法則性を見出す(みいだ)す

日本の学習者の多くは、知識は与えられるものだと思っています。文法も、すべて明らかになっているものを吸収しようとします。これは間違いです。

具体的には本を読んだり、新聞を読んだり、DVDを見たりして言語データを集め、自分なりに法則性を見出そうとする思考方式に変えてください。

パズルをやるときには、パズルの形状と当てはめるべき場所の形状を比較し、じっくりと吟味するはずですが、語学学習において、なぜ同じことをやろうとしないのですか。それにパズルは、攻略本を読んで、そっくりそのままやれば、簡単にできるのかもしれませんが、語学学習の場合、文法書を頼りにするかぎり、最後まで攻略できません。

自分でやるしかないのです。そういう意識で言語データを集めれば、疑問点はたくさん出てくるでしょう。これを続けると、同じような表現にまた出会うことになりますから、そこから共通点が見えてきます。「なんでそう言うのかわからないけど、この場合にはこう言う」の言語データが集まってから、改めて文法に関する本を読んでみてください。たちまちにわかります。おもしろいくらいにわかります。びっくりします。

一例をあげましょう。英語には、仮定法という文法項目があります。文法の教科書を読んで、なんとなく理解したつもりでいましたが、テストでもよく間違えるし、あまりよくわかっていませんでした。同じような人は多いかもしれません。

ところが、『ハリーポッター』などを読んでいても、仮定法やそれに類する表現は、頻繁に出てくるのです。「なるほど、こういうときは、こんなふうに仮定法を使うんだ」ということがわかってからは、同じ文法説明を読んでも、ごく当たり前のことが書いてあるようにしか思わなくなりました。

英語には、冠詞の使い方、前置詞の使い方など、他にもうまく理解できないことがらが多くあると思います。文法書に当たることじたいを否定するつもりはありませんが、そこで納得した気にならないで、実際の生きた外国語の文脈の中で確認してはじめて、大きく能力を伸ばすことができるでしょう。日本人に足りないのは、このプロセスです。

文法の中には生成文法など、演繹的な理論を構築する理論もありますが、これは学習に向いたものではありません。言語はぜひ帰納的に学んでください。

●「学校文法」の正体

活用形にしても、ひとつではない

文法というのは、先に言葉があって、それを合理的に説明しようとするものですから、説明する人によって異なってくるものですし、言語をどのようにとらえるかによっても違ってきます。

日本語文法の例でこのことをもう少し説明しましょ

う。西洋の言語学が入ってから、日本でもさまざまな学者が日本語を説明しました。主要なものでも、山田孝雄、橋本進吉、時枝誠記、松下大三郎と、4人による文法があり、「4大文法」と呼ばれることがあります。このうち橋本進吉による文法（橋本文法）がもとになってできたのが、学校で教えられている、いわゆる「学校文法」です。つまり、学校で教わる文法は、数ある文法説明のうちのひとつにすぎないのです。

次の語の活用形は何でしょうか。

1、落ちる　2、食べる　3、眠る

「落ちる」は「上一段活用」、「食べる」は「下一段活用」、「眠る」は「五段活用」と教わったはずです。しかし、別の説明の仕方もできるのです。

3つの語の活用形をローマ字で書いてみましょう。

1、ochi-nai ochi-masu ochi-ru ochi-rutoki
ochi-reba ochi-ro

2、tabe-nai tabe-masu tabe-ru
tabe-rutoki tabe-reba tabe-ro

3、nemur-anai nemur-imasu nemur-u
nemur-utoki nemur-eba nemur-e

「落ちる」「食べる」の語幹(ごかん)（変化しない部分）に注目しますと、それぞれ“ochi”と“tabe”というふうに母音で終わっています。“i”で終わるか“e”で終わるかの違いはありますが、うしろはすべて同じです。

一方、「眠る」は違います。語幹部分は“nemur”までであり、子音で終わっています。その後に母音から始まる活用語尾がついています。

1と2は活用の仕方は同じなので、一括して「母音語幹動詞」と呼び、3は「子音語幹動詞」と呼ぶことも可能なのです。実際に、外国人が学ぶ日本語文法ではこのような説明の仕方がなされているそうです。

橋本文法は、「文節(ぶんせつ)」という単位を導入するのが特徴的なのですが、これも学校で教わります。この概念では、「ネ」を入れて切れるところが文節の切れ目などという教え方がなされています。「私は（ネ）池袋で（ネ）本を（ネ）買った（ネ）」というようなものが、それです。

日本人ならばどこで「ネ」を入れたらいいか、なんとなく直感的にわかりますが、外国人には不可能です。というわけで、橋本文法は、外国人が日本語を習得するのに向いていないと思います。

では、日本の「学校文法」は、なぜ橋本文法を採用したのでしょうか。ちなみに、橋本文法の動詞の活用分類が、子音語幹、母音語幹という違いではなく、五段活用、下一段活用、上一段活用としているのは、古典文法との連続性を図るために他なりません。

というより、もともと日本語の文法は、すでに話し言葉と大きく違っていた文語（古典）の文法を説明することに、主な目的がありました。現代語文法も、古典文法に合わせてつくられているのです。現代語では、「連体（れんたい）形」と「終止形」がまったく同一なので、現代語では一括してしまっても理論上は問題ないはずですが、そうすると、古典文法との連続性がなくなってしまいます。

こういったこともあってか、活用形の丸暗記に辟易（へきえき）させられた方が多く出てくる結果になりました。当時の私も、文法の授業は正直あんまり好きではありませんでした。しかし、あのうんざりする活用表も、誰かが法則を発見して導き出したものです。体系的で美しい言葉の世界という見方もできなくはありません。自分でこういう理論をつくり出せたら、さぞかし気持ちのよいことでしょう。いまでは、文法も大好きになりました。

形容動詞(けいようどうし)は不要？

さて、橋本文法でよくやり玉にあげられるのが、「形容動詞」という分類です。

「形容動詞」とは、古典ならば「静かなり」のように「なり」がつくもの、現代語なら「静かだ」のように「だ」がつくものとされています。

橋本文法では、「静かなり」「静かだ」の一語で「形容動詞」として認定されています。「静か」と「なり」「だ」を分けていません。

しかし、この形容動詞の一部である「なり」「だ」が、「この本を書きしは橋本なり」「この本を書いたのは橋本だ」など、名詞につく「なり」や「だ」と本質的に違うのかといえば、はなはだ疑問です。「この本を書いたのは橋本だ」では、「橋本」であることを断定する意味で「だ」を使っていますが、「静かだ」でも「静か」を「だ」で断定しています。

にもかかわらず、橋本文法では、「静か」単独で使用されることがないということを理由に、「静かだ」を一語として認定するのです。入試問題で、「静かなり」の「なり」にだけ下線がつけられていて、断定の助動詞「なり」や伝聞の助動詞「なり」との識別が問われていたのを記憶されている方も多いでしょう。この「なり」は、形容動詞の一部であると答えさせたいのです。

この「形容動詞」をめぐっては、古くから異論が多く、実は現在の言語学でもあまり採用されていません。四大文法のうちの時枝文法では、橋本文法の「形容動詞」を批判し、「静か」と「だ」にわけて考えています。その理由は「静か」単独でも、私たち日本人はその概念を理解しているのであって、十分にひとつの語として認定できるというものです。したがって、形容動詞という分類は、時枝文法では存在しません。私もこちらの考え方のほうが合理的だと思います。

中学や高校では、英語や日本語でも「これが正しい文法」として覚えさせられ、疑義をさしはさむ余地がないため、あたかも絶対的に正しいものだとカン違いしてしまいがちですが、学問的には「とにかくこれが正しい」という態度がいちばん正しくありません。従順に受験勉強にいそしんだ人の中には、大学生になっても、大学院生になっても、あるいは教員という人を教える立場になっても、こういう立場を放棄できない人がいますが、これでは学問はできません。

こんなに違う「助動詞」の位置づけ

さて、その時枝文法は、言葉の観念や概念を橋本文法よりも重視します。橋本文法は徹底して形式主義であり、言葉の形にこだわった文法です。この違いは、「助動詞」と分類される語の説明にもよく表われます。

学校の文法の授業で、「助動詞」がどのように定義されていたか覚えていますか。それは、「付属語のうち、活用しないもの」です。「付属語」とは、単独で文節を形成できず、また文節の頭に立つこともない語でしたね。こういった定義は、まったく形式からの分類であり、意味は含まれていません。

よくよく考えてみると、なぜ「助動詞」というのでしょうか。その「付属語のうち、活用をするもの」という定義からは、「助動詞」という名称の由来がよくわかりません。英文法などにおける「助動詞」とは、“must”や“can”のように、文字どおり動詞につき、意味を補助するものです。実は学校文法でいうところの「助動詞」も、基本的には動詞につき、その意味を補助するものだと思います。

ただし、この定義を採用すると、断定の助動詞とされる「なり」は、体言や名詞につきますから、「動詞を補助する」ものではなくなってしまうという問題が生じてきます。

時枝文法では、分類の仕方が異なります。時枝は、言葉を「詞(し)」と「辞(じ)」にわけて考えました。ごく簡単に言うと、「詞」とは動詞や名詞、形容詞など、客観的な事実を述べる文であり、「辞」とは、話者の主観を表わす語で、助動詞はこの「辞」に入ります（ただし時枝は、「受け身」と「使役」の助動詞だけは「詞」のほうに入れています）。

これは単なる形式だけの定義ではなくて、意味も考慮された定義の仕方です。助動詞が主観的というのは、例えば、次の例文を見れば明らかです。

彼は明日学校に来る[らしい/だろう/まい]

この文では、「彼は明日学校に来る」という事実に対して、「らしい」「だろう」「まい」と、主観的な判断がつけられています。「彼は明日学校に来るらしい」といえば、そういう可能性があるという主観的判断を表わしますし、「来るだろう」なら話し手がそう推測していることを、「来るまい」ならば否定の推測を表わしています。

いまの言語学では「モダリティー」という用語を使いますが、日本語の場合には、こういう主観的判断を表わす語句（助動詞）を文末に持ってくるのです。

生徒たちの素朴な疑問

橋本文法と時枝文法を比較しただけでも、言葉を考えるときに、ひとつの文法に頼ることの問題点が理解できるのではないでしょうか。

「学校文法は絶対的に正しいもの」という幻想を捨てさえすれば、この他にも突っこみどころはたくさん出てきます。だいたいにおいて理解に苦しむところは、理論じたいが苦しまぎれになっている場合か、単純化している場合が多いのです。

私はあるとき、高校の生徒に、「古典の文法で理解できなかったことを3つ以上あげなさい。すべて理解できたと思う者は、文法に関する疑問点や、説明がおかしいと思う点を発見しなさい」という宿題を出してみました。

回答の中で、おもしろかったのは、「らし」と「じ」は活用形がすべて同じなのに、助動詞になっているのはどうしてか、というものでした。たしかに、助動詞の定義は「付属語のうち活用するもの」ですから、形の変わらない「らし」と「じ」はこの定義に反しているように思われます。

実際の参考書には、「無変化型」とか、「形は変わらないけど活用している」と、思わず吹き出しそうな説明がしてあります。全国の受験生は、こんな苦しまぎれの説明に納得するのでしょうか。これは、「らし」も「じ」も動詞についていますから、形式ではなく、意味の面からいって「助動詞」なのであり、「助詞」とは働きが違うからです。

また、「き」の活用形に「し」が出てくるのは、意味がわからないと書いた生徒もいました。そんなことはどうでもいいからとにかく暗記しろ、というのはナンセンスで、「き」の活用形に「し」が出てくるのは変だと思うほうが普通だと思います。

「き」はおそらく「来」と同源ですが、「し」は「した」の「し」で、本来的には別の言葉だったのが、くっついてしまっているのです。

文法解説には、このような例外・異例があふれています。それでも、納得できる説明がつけば、薬だと思って暗記するでしょうが、とにかく覚えろというのでは、生徒たちはたまったものではありません。

私が生徒にこのような問題を出したのには、**自分で観察することの大切さ**を知ってもらいたかったからです。**外部から与えられるものに素直な疑問をいだくこと**の大切さもそうですし、語学にかぎらず、学習の要点として、**観察を組み合わせれば、記憶も強く**なります。それによって、言語についてのより深い理解に近づけるでしょう。

「つ」「ぬ」「たり」「り」と、完了の助動詞がなぜこんなにいっぱいあるのかという疑問もありました。生徒のいうとおり、参考書を見ると、全部同じ「完了」の意味と説明してあります。

この生徒は、なんでひとつにまとめないんだ、覚えるのがたいへんじゃないか、と腹が立ったのでしょう。現代語の完了は「た」でまとめてしまっていますが、昔は完了を表わすのにも、さまざまに言い分けていたのです。実際には使い方が微妙に違うのですが、専門家でも見解が分かれていたりしていて、理解が難しく、とりあえず「全部、完了！」と覚えさせているだけです。

「イチローが走った！」は、いつ完了したか

もっと穿(うが)って、次の文の「ぬ」の説明について突っ込んだ回答もありました。

はや船に乗れ。日も暮れぬ。
(はやく船に乗れ。日が暮れてしまう)

『伊勢物語』の中の有名な一文ですが、「日も暮れぬ」の「ぬ」は、「暮れてしまう」と現代語訳されていて、直感的にはどこも「完了」しているようには思われません。教科書では、「未来において完了する」とだけ書いてあって、仕方なくそう覚えることになっていま

す。しかし、素朴な印象としてみても、「未来において完了する」という説明はなんだかムリヤリな感じがします。

私は古典文法の専門家ではないので、正しくないかもしれませんが、これは、やはり「現在完了」ではないかと思っています。ひと口に「完了」といっても、それには「始まりの完了」と「終わりの完了」の2つの種類があります。

「走る」という動詞のことを考えてみてください。この動詞は、走っていない状態から走りはじめる状態に変化し、しばらく走っている状態が継続し、そのうちに終わります。したがって、「完了」といっても、「走りはじめることが完了した」場合と、「走り終わった」場合の2つの可能性があるのです。

例えば、野球の実況で、アナウンサーが「イチローが走った！」と言ったときの「た」はどの時点を表わしているでしょうか。このセリフが発せられるとき、おそらくイチローはまだ走っている途中です。次のベースに到達した時点で、「イチローが走った！」と実況されたら、アナウンサーはボンヤリしていたのかということになります。

つまり、「走った！」と言ったときに、「走るという行為」が完結したわけではありません。それが始まったことを表わしているのです。いわば、「開始」が「完了」しているのです。

ですから、「日が暮れぬ」も、「暮れはじめた」ということなのではないかと思います。このことは、専門家の間でも意見が分かれているようですが、「つ」は「終了の完了」しか表わせないのに対して、「ぬ」は「開始の完了」と「終了の完了」の両方を表わすことができるという違いがあるのだと思います。

興味深いことに、中国語に翻訳すると、先ほどの例は「太陽要下了」となって、完了を表わす「了」が最後につきます。中国語文法でも、「未来完了」と説明していますが、私は違うと思います。この場合は、「もうすぐこうなる、という状況にいま現在においてなった」という意味であって、「未来において完了する」という意味ではないからです。

長々と話しましたが、私たちが学校で教わってきた「文法」というものは、絶対的なものではないということをわかっていただけたでしょうか。

このことは、英語など、外国語の文法にも当てはまります。くわえて、「論理中心主義」の問題もあります。この学習法には、利点もありますが、残念ながら日本人がまったく外国語を使用できないという一因にもなっているように思われます。考えていきましょう。

●文法の形式主義と論理中心主義

語形変化の習得が必須なヨーロッパの言語

文法といえば、ヨーロッパの伝統においては、まずラテン語の文法というものが、中心のひとつとしてありました。

フランス語やイタリア語といった、普段話している言葉は「俗語」であって、教養のある人はラテン語を使えなければなりません。フランス語やイタリア語はそもそもラテン語の子孫ですが、口語は時代や地域によって大きく変わっていってしまうものです。ですから、ラテン語は日本語の古文と同じように、勉強してはじめて使用できるようになるものでした。

外国語として勉強するということになりますと、勉強するべき「規範」が必要になります。規範が必要であるということになると、これこそが正しいラテン語であるという「文法」が必要となります。

ヨーロッパの言語は「屈折語」と呼ばれていて、語形変化によって意味を表わす点が特徴です。ラテン語は、名詞がすべて「格変化」します。「格」とは、簡単に言えば、名詞が文の中で果たす役割のことだと考えてください。つまり、名詞が主語になる場合には主格、直接目的語（～「を」を表わす）の場合には対格、間接目的語（～「に」を表わす）の場合には与格という格になります。

ラテン語は、現代の西ヨーロッパ言語に比べて、語形変化がずっと豊富です（ロシア語とその仲間の言語など、いまでも複雑な格変化をするので学習者を困らせますが）。主語、直接目的語、間接目的語といった文法的な役割を格変化によって表わせるラテン語は、そのぶん語順が比較的ゆるやかで、「動詞＋目的語＋主語」の順にも、「目的語＋動詞＋主語」の順にも並べることが可能です。

一方、英語の語形変化は、“I → my → me”のような「人称代名詞」くらいにしか残っていません。語形変化を失った英語は、語順を固定することによって文法的な役割を表わすことになりました。

I	give	a present	to you.
主語	動詞	直接目的語	間接目的語

このように、英語では「主語＋動詞＋目的語」の順をきちんと守る必要があります。また、間接目的語を表わす“to”のように、前置詞を発展させることによ

って格変化の喪失を補いました。フランス語やスペイン語などでは、動詞が英語よりは複雑に変化します。ドイツ語は冠詞が格によって変化します。

ラテン語に代表されるように、ヨーロッパの言語はいずれも語形が変化するタイプの言語です。そのヨーロッパの伝統において、「文法」とは第一に、この語形変化のルールを記述することであり、学習者としても、その使い方をきちんと習得することが主な目標でした。いまもヨーロッパでは、文法の学習というと、多くの時間が、この語形変化とその綴(つづ)り方といった、「形式主義的文法」の習得にあてられているようです。日本人学習者としても、初級段階ではまずこういった文法を覚えないことには先に進めません。

形式主義的文法のメリット

一方で、日本での文法はどうでしょうか。日本語は江戸時代に文法の研究が進みましたが、これはすでに話し言葉と書き言葉の差が顕著になっていたことと無縁ではないでしょう。

例えば、古文では過去や完了を表わすのに「き」「けり」「つ」「ぬ」「たり」「り」など、さまざまな言葉を使い分けていましたが、江戸時代の普通の喋り言葉では、すでに現在と同じように「た」で統一されていたことがわかっています。

しかし、書き言葉のほうは、基本的に平安時代からの規範を明治時代まで踏襲しつづけました。江戸時代の人たちは、文章を読んだり書いたりするのに、古文を学ばなければならなかったのです。学ぶとなれば、その規範が必要になりますし、研究も進んできます。中学校でも習う「係り結び」を最初に論じたのは、『古事記伝』で有名な本居宣長です。また、古典の時間に覚えさせられる活用表も、その基礎は江戸時代につくられました。

そこに明治以降、ヨーロッパの言語学が入って来て、新たな文法が記述されるようになりましたが、やはり語形変化の記述がひとつ中心としてあります。

もちろん、形式主義的文法の利点も少なくありません。ヨーロッパの人たちがほとんどの時間を語形変化の学習にあてるのは、それで構わないのです。ヨーロッパの言葉は、なんといっても同じ系統に属する言語なので、似ているといえば似ています。乱暴な言い方をすれば、母語が英語やフランス語ならば、外国語を学ぶ際にも語形変化さえ押さえれば、あとはなんとでもなります。

日本語の古典の学習も、そうです。同じ日本語ですから、活用形さえ覚えてしまえば、あとは辞書を使って理解は進みます。形式主義的文法をまず学んでしまう方法じたいが、悪いわけではありません。

ただ、日本語を母語とする私たちが、外国語を習得するためには、この方法だけでは不十分です。

能動態と受動態があるという考え方

日本の学校で伝統的に教えられてきた文法には、もうひとつ、「論理中心主義」という特徴があります。みなさんも、高校英語の教科書で、次のような書きかえを学習したのではないでしょうか。

受動態のつくり方

1、Everybody likes him.

⇒ He is liked by everybody.

2、The teacher gave John a book.

⇒ John was given a book by the teacher.

⇒ A book was given John by the teacher.

3、The children called the dog Spotty.

⇒ The dog was called Spotty by the children.

これらは、実際に私が高校のときに使っていた教科書に載っていた例文ですが、いまでもだいたい同じように書いてあるでしょう。

それぞれに、「1、目的語を受け身の主語にすればよい」「2、目的語が二つあるので、間接目的を主語にする受け身と目的語を主語にする受け身の二つが作れる」「3、補語は受け身に関係ないので、S＋V＋Oの部分だけで受け身を作ればよい」という説明書きがついています。

こういう書きかえが行なわれることは、けっして自然なことではありません。その背後にあるのが、論理中心主義的な文法観です。というのも、このような説明は、**能動態を同じ意味の受動態に書きかえられる**ということを前提としているからです。これは論理中心主義的な思考法から来ています。

論理中心主義的言語観のもとでは、言語は、「客観的真理」「絶対的真理」を表わしうると考えています。客観的真理や絶対的真理は、数学的な真理と言いかえてもいいでしょう。

数学的真理というのは、人間とは独立に存在している真理です。例えば、「上り坂」と「下り坂」の違いを考えてみましょう。どう違うでしょうか。これは人間の視点が違うだけです。坂の上から見れば、下り坂になるのであって、下から見れば上り坂です。したがって、人間から切り離された数学的真理のもとでは、上り坂と下り坂とは同じ意味になるのです。

能動態と受動態が相互に書きかえうるとする点も、能動態と受動態という呼び名も、同じ思考法に基づいています。同じ客観的真理を能動態と受動態という2つの態で書き分けているだけであるから、書きかえ可能だということになります。

ひとつの文で、例を表わすことができるか

そして、このような言語観のもとでは、**ある発話が使用される場面などや、前後の文脈に関係なく**、ひとつの文が、ある真理値を述べうると考えます（もしそんなものが表わせるとすればの話ですが）。

皆さんが中学や高校のときに使用した文法の教科書を見てください。ほとんどすべての文が、文脈から切り離された文、それもピリオドからピリオドで終わるひとつの文（あるいはそういうものを複数並べたもの）で説明されています。長文の中で文法の説明がなされることはありません。

これは、単純に長文を例としてあげるスペースがないからだけではないでしょう。**ひとつの文だけで対応する真理を表わしうる**という文法観があるからこそ、そうなっているのです。言語が絶対的真理を表わしうるのか、あるいは人間が絶対的真理を認識しうるのか、というのはたいへん哲学的な問題で、それこそギ

リシャ時代から延々と議論が続けられているテーマなのです。もちろん間違いかどうかはわかりません。

しかし、この論理中心主義的文法観に基づいて学習していては、外国語を習得することはままなりません。なぜなら、私たちは具体的な場面において、前後関係を頭に入れながら、主観的に言葉を使っているからです。そういったものや聞き手とのコミュニケーションを除外した文法観では、**その言葉をどのようにして使うか**という問題が無視されていますから、真理値を解読することはできるようになったとしても、実際に使用することができないのは、当然のことでしょう。

いまでもよく覚えていますが、私は高校の教科書に登場する仮定法の説明に納得がいきませんでした。その仮定法の説明では、「単なる仮定」と「事実に反する仮定」という2つの場合があって、後者の場合に仮定法を取ると書いてあります。しかし、「事実に反する仮定」という場合でも、もしかしたら仮定法が取れないとは言い切れないのではないか、という疑念が起こりました。

仮定法の例文、“If you had the money ...” は、「(事実として) おまえはお金を持っていないけれども」という意味になりそうですが、本当はお金を持っている可能性もあるではないか、「単なる仮定」と「事実に反する仮定」を分ける必要もないのではないか、と思ったのです。

この私の「誤解」は、「事実」を「客観的事実」ととらえていることから発生したものです。「事実に反する仮定」とは、より正確に言うと「事実に反すると思っている仮定」のことであるのです。「おまえがお金を持っているなんて、そんなことは絶対にありえない」と思っているなら、仮定法を使用できるということです。

ただ、こういった誤解も、ひとつの文からではなく、文脈から判断する例があれば、起こらなかったでしょう。

「無生物主語文」をどう日本語に翻訳するか

英語で用いられる文型に関しては、高校の教科書でだいたい網羅されているわけですが、その文型がいつ何時、どうやって使われるのかに関してはわかりません。

実際の場面の中でどう使用されるかをよく観察せずに、短い例文だけで安易に判断するクセをつけてしまうと、実際にそれが用いられた場面に出会ったときも、ピンと来ないという事態が起こります。

外国語と日本語とでは、違う構文を取ることがあります。高校の教科書に出ている例でよく知られているのが、「無生物主語文」でしょう。

The heavy snow prevented the train from running on time.

大雪のために、列車は時間どおりに走れなかった。

「大雪が列車が時間どおりに走るのを妨げた」が、この例文の直訳ですが、日本語ではこういう場合、「大雪」を主語として立てません。「妨げる」も、あくまで人間が行なう動作ですから、「大雪」という意思を持たないものがそれを行なっているのは、少し奇妙な感じがします。これは、よく知られた、英語と日本語の語感の違いでしょう。

英語が使役文を使うところ、日本語ではそうせずに「〜になった」を用いたり、受け身を使うほうが自然な場合は、非常に多くあります。

... then he was full of holes and the sea round him turned pink and he sank as suddenly as though the holes had let in the water, audience shouting with laughter when he sank.

次の場面では彼の身体じゅうに穴があき、周囲の水がピンクに染まる。そしてその穴から水が注入されたみたいに、彼は突然沈んでいく。観衆はその姿を見て大笑い。

Winston stopped writing, partly because he was suffering from cramp. He did not know what had made him pour out this stream of rubbish.

ウィンストンは手が痙攣(けいれん)したせいもあって、書くのを止めた。どうしてこんなつまらぬことを垂れ流す気になったのか自分でもわからなかった。

(いずれも、ジョージ・オーウェル『一九八四年』、高橋和久訳より)

オーウェルの小説『一九八四年』とその日本語訳です。最初の例文の傍線部は、直訳すると「その穴が水を入れたみたいに」ですが、「注入されたみたいに」と受け身の形に訳されています。2つ目の例文でも、"what had made him" とありますから、直訳では「何が彼にこんなくだらないことを書かせたのかわからなかった」となるところですが、翻訳は「彼」の視点に同化して「垂れ流す気になったのか」と、「なった」

を使っています。
日本語では、「穴」や「何」といった無生物が主語になる文には、違和感を覚えます。そこで、受け身の形や「なる」を使った文に翻訳されるのです。受け身を表わすとされる「れる・られる」は、先ほども見たように、「自然とそうなる」というのが本来の意味ですから、「なる」と性質がよく似ています。
このように、日本語は、「自然とそうなった」という表現を好む言語ですが、英語はそうではありません。ちなみに、中国語の使役文でも、日本語に翻訳するときには受け身にしたほうが自然になることがしばしばあります（なお、このことについては、池上嘉彦（いけがみよしひこ）氏が書かれた『「する」と「なる」の言語学―言語と文化のタイポロジーへの試論―』の中で、詳しく説明されています）。
無生物主語は目立つ違いですので、高校の教科書にも必ずといって書かれています。しかし、そういった言語間の違いは、数多くあるのです。これらすべてを文法書に期待することはできません。実際に生きた言語に接して手に入れるのが、もっとも的確な方法でしょう。

『雪国』の冒頭シーンに見る、語感の違い

外国語の構文を理解することじたいは、まだそれほど難しいことではありません。しかし、外国語らしい発想で使用するとなると、もっとたいへんです。これを論理的思考だけで学習しようとすると、どうしても日本語の発想にとらわれてしまいます。

ところで、先ほどの無生物主語文の教科書的例「大雪のために、列車は時間どおりに走れなかった」という日本語は、いったいどういった場面で使うのでしょうか。小説の中の詩的な表現としてはもちろんありうるでしょう。会話の中での表現だったらどうでしょうか。こんな言い方をしている人に出会ったことはありますか。

電車を待っている人だったら、たぶん「雪のせいで電車が時間どおり来なかった」というでしょう。運転士であれば、「雪のせいで電車を時間どおり運行できなかった」というでしょう。日本語というのは話し手に同化して話す傾向にある言語なので、話し手の立場からの話し方になります。すると、日本語で発想するかぎり、そもそも“The heavy snow prevented the train from running on time.”という例文を使う機会が見当たりません。

日本語は話し手の視点に同化すると書きましたが、

より正確に言うと、小説などでは3人称の人物の視点にも同化した語り方を好む言語です。

有名な例ですが、『雪国』冒頭の英語訳とドイツ語訳を見てみましょう。

国境の長いトンネルを抜けると雪国であった。

The train came out of the long tunnel into the snow country.（英語訳）

Als der zug aus dem langen Grenztunnel herauskroch, lag das Schneeland.（ドイツ語訳）

みなさんは、この日本語の原文にどういう印象を持っていますか。視点は、電車の中にあります。とある人物が、電車の中で得た経験を表わした文です。それは、「雪国であった」の「た」という表現に込められています。この「た」によって、トンネルの先が雪国であることに気づくというニュアンスが出るのです。『雪国』の原文では、「夜の底が白くなった」と続きます。これも、電車の中から、窓の外側の景色を描いたものです。電車の中からは電車じたいは見えないので、「電車」という言葉は出てきません。

ところが、改めて英語訳やドイツ語訳を見ると、どちらも主語として“train”、あるいは“zug”が言語化されています。これらの訳文では、「電車が長いトンネルを抜けて、雪国に入った」という意味になり、電車がトンネルを抜けて雪国に入るさまが「外側から」描かれているのがわかるでしょう。

日本語話者の言語感覚からすれば、この文は例えば分詞構文を使って、“Coming out of the long tunnel, it was the snow country.” というように翻訳できそうにも思えてしまいます。しかし、実際にはそう訳されてはいません。

つまり、英語話者の言語感覚としては、電車とトンネルと雪国をすべて外側から客体化して語るほうが、「英語らしい」(ドイツ語話者にとってドイツ語らしい)という判断が働いているのでしょう。

解釈が原文のニュアンスと異なるように思われるからといって、「誤訳」であるとは単純にはいえません。これを「誤訳」としてしまうと、使役文を日本語で受け身の文に書きかえることも「誤訳」ということになってしまうでしょう。

ちょっと調査してみれば、日本語では**人物からの視点**で描かれているものが、外国語に翻訳するとき、**人物の外側からの視点**に変えられている例は無数に見つかりますから、これが『雪国』の訳者ひとりの好みの問題ではないことは明らかです。

こういうときにはこう言うほうが「英語らしい」とか、こう言うほうが「日本語らしい」ということは、母語であれば無意識的にわかっています。その無意識的にはわかっている「〜語らしい」を言語学的に明らかにするのが私の研究テーマですが、実はこれまでのところ、こういうアプローチの研究が必ずしも多くあるわけではありません。英語に少しあるくらいのものです。

同じことのくりかえしになりますが、具体的な場面において、ちゃんとした「外国語らしい表現」を使用できるようにするためには、できるだけ生きた文脈の中で構文をとらえ、何度も同じ構文に出会うことによって習得するしかありません。

文の流れによって語順は変わる

「語用論」と呼ばれる分野では、言葉の運用の問題が研究されています。実際に使われている用例に多く接したのちに、こういう分野の本を読むとよりいっそう理解が深まるかもしれません。

ここでは、「語順」について考えてみましょう。次の2つの例文を見てください。

He completely denied it.

He denied it completely.

日本語では、どちらも「彼は完全にそれを否定した」と翻訳できます。現行の学校教育の文法は「論理中心主義」ですから、この2つの文は「同じ意味」として教えられていると思いますし、日本語訳では同じようにしか訳せないでしょう。しかし、文脈によってこの2つは使い方が異なってきます。

言語には、一般的な法則として、末尾に焦点を当てるという原則があります。これは話題になっているテーマを先に言って、新しい情報、重要な情報は後ろに持ってくるという法則です。「いきなり頭から重要なことを言うな」ということです。

この原則に当てはめますと、最初の文では“denied”に焦点が当たり、後半の文のほうでは“completely”に焦点が当たりやすくなります。ですから、“Did he admit it?”（彼は認めたか？）という質問の答えでしたら、伝えたいメッセージは「否定した」という点ですから、前者が使われやすくなります。一方、質問が“Did he deny it?”（彼は否定したか？）というものでしたら、「否定した」という事実はすでに話題になっていますから、重要な情報ではありません。そこで、“completely”（完全に）のほうに焦点があたります。

時点を表わす言葉、“yesterday”も、同じように考えられます。この語は、形としては文の頭にも後ろにも置けますが、“What did you do yesterday?”という質問の答えなら、“Yesterday, I ...”と“yesterday”から始めることのほうが普通です。相手が言ったことから始めるのが、コミュニケーション上、スムーズだからです。

これも、実際に英語を使ったことがあれば直感的にわかることですが、論理中心主義だけで学習しているとわかりません。やはり日本人学習者に足りないのは、その言葉をどう使うのかという視点です。

ちなみに、日本語は、助詞の「は」という話題を提示する特別な文法形式を持っています。次の対話を見てください。

1、A：誰が中国語を話せる？
　　B：中国語は橋本が話せる。
2、A：橋本は何語が話せる？
　　B：橋本は中国語が話せる。

1の「誰が中国語を話せる？」という質問において、話題になっているのは、「中国語」です。すると

Bさんの答えとしては「中国語は」と始めるほうが自然です。話題というのは、先行する文脈（あるいは言語外の情報）によってすでに明らかになっていることがらです。

逆に、2の「橋本は何語が話せる？」という質問に対しては、橋本について話しているのですから、「橋本は」で始めます。「中国語は橋本が話せる」と答えるのは、ちょっと自然ではありません。まだどこにも中国語の話が出てきていないからです。

論理的文法の限界

論理的文法トレーニングの最大の問題は、言語を数学の解き方のような思考トレーニングに変えてしまうことです。みなさんも、学校のテストや受験で、次のような問題を解いたことがあるでしょう。

問1：かっこ内の動詞を適当な完了形に変えよ。
The fire (spread) through the house before the firemen arrived.

問2：下の語句を並べかえて、次の日本語に適する形に変えよ。
彼女の美しい声は、ステージではもう二度と聞くことができないだろう。

(will / beautiful / voice / on /her / be/ the / heard / stage / again / never.)

こういう問題を解くときに、どういうプロセスで正解を導き出したでしょうか。問1は動詞を完了形にすることが求められているのですから、"have"と過去分詞を使うことになるんだろうとまず考えます。こういうとき、動詞の形を決めるためには、「主語の人称と時制という2つのことがらに注意しろ」と教わります。主語は"The fire"ですから、3人称単数です。3人称単数ということは、"have"の形は現在形なら"has"、過去形なら"had"になるはずです。また、時制に注目すると、うしろに"before the firemen arrived"(消防士が到着する前に)がありますから、全体として過去の話をしているということがわかります。"spread"の過去分詞は"spread"ですから、正解は"had spread"だと導き出せます。

問2の並べかえも、定番の問題です。この場合には日本語が与えられているので、やや簡単ですが、場合によってはヒントの日本語がない場合もあります。その場合は、さらに論理的に思考して文を並べかえる技術が必要になります。

この手の問題を解くコツとして、塾などでは「まずフレーズをつくれ」と教えられます。どの単語とどの単語が結びつくのか考えれば、“her beautiful voice”、“will never be heard”、“on the stage”といった3つのフレーズができあがり、残りの語は“again”だけとなります。

あとはこれを適切に並べて、“Her beautiful voice will never be heard again on the stage.”というような文ができあがるでしょう。いずれにしても、ここで求められるのは、きわめて論理的な思考であり、まるで数学の問題を解いているかのようです。

英語ができる人ならば、こういう問題を解くことができますから、そういう意味では英語力をはかっていることにはなりますが、その英語が音声や世界とまったく結びつかない死んだものであっても、これらの問題は解けてしまいます。

といいますか、入試で必要とされるのは、「問題の解き方」なのですから、こういう問題を解けるようにすることが目的となってしまいます。こういう練習問題の最大の問題点は、記号が紙の上に載っていることです。つまり言葉じたいが、問題を解く人の外側にあって、内部化されていません。

「受験の英語は悪くない、何よりもその形を最初に学ぶ必要があるのだ」という人も多くいます。もっとも、この方法は便利な教授法ではあります。

最大の問題は、受験経験者の多くがこのタイプの文法観から抜け出すことができないという点です。並べかえ問題をどれだけ解いても、語学はできるようになりません。受験が終わってしまったら、もはや完全に無用なのですが、驚くべきことに、大学の教科書やテストもほとんど変わるところがありません。

こうして、学生たちは、同じようなトレーニングを欲し、そして外国語のできない人になります。生きた外国語を習得するためには、自分の外側にある記号を論理的に判断して解くパズルゲームから抜け出す必要があります。紙の上に字を並べるのではなく、自分の頭の中に空欄をつくる必要があるのです。

いちばん難しいのが書き言葉

日本人学習者は、「聞いたり話したりはできないが、読み書きだけはできる」という言い方がよくなされます。受験勉強などでも、読みがある程度できるようになるのは事実ですが、**書けるようになるというのは幻想**です。

「話す、聞く、読む、書く」の中でも、圧倒的に難しいのは書き言葉の習得なのです。話し言葉で使う文型の数は必ずしも多くありません。特に日常的な会話は、音声をちゃんと覚えることと、世界と言語をつなげる訓練を最初からやれば、1年から2年もあれば十分こなせます。

しかし、書き言葉はそうはいきません。書き言葉というのは、自然発生的な口語と違い、人為的に定めていく部分もありますし、どういう文がよいかという美意識も加わって形づくられてきます。美意識というのは、修辞と言いかえてもいいかもしれません。

つまり、話し言葉では同じ文型で同じ単語を何回使って喋っても、ほとんど問題がありませんし、日常会話ではそうなっています。ところが、文章となると、同じ言葉を連続させるのは適切ではありませんし、ずっと同じ文型を続けるようなものは大人が書いた文とは見なされません。また、口語語彙とは異なった難しい言葉に言いかえなければなりません。文のリズムも大切ですし、余計な語は省かなくてはなりません。文章語を習得するのは、その言語に習熟してから、という順序になるでしょう。

結局のところ、「書くのは何とか」と自称している人が書いている文は、とても読めたものではありません。話し言葉ができないような人が、書き言葉はできるということは、あり得ないと思います。

第４章
多言語を習得する

●具体的な勉強法

新しい外国語を学ぶ

さて、音声や語彙、文法面と、理論的なことがらを追ってきました。ここでは、実際に新しい外国語を学ぶのに当たって、どういったプロセスを取っていけばよいか、具体的に考えてみましょう。

初級習得の目安、第一の目標は、辞書さえ引けば、ほとんどの文がだいたい理解できるレベルです。そして、このレベルのうちに、頭の中に空欄をしっかりとつくりましょう。よく使う文型というのは、どの言語でもそれほど多いわけではありませんから、きちんと訓練すれば、日本にいても1年ほどで習得できます。

大学で第2外国語として選択する場合、おおよその目安は初級の教科書1冊分に網羅されています（ただし、最近の教科書はやや学習量が少なくなっている傾向があります）。

しかし、教科書というのは、教師の説明をあわせて理解する仕様につくられているため、独学には向きません。まさにその教師がする説明を書いてくれと思うのですが、そうすると、大多数の教師のすることがなくなってしまうのです。ですから、参考書を見れば書いてある内容を読み上げるような授業など、出る必要はまったくありません。

現状、独学にもっとも向いているテキストは、NHKのラジオ講座だと思います。私は、新しい外国語を最初に勉強するときには、必ずこれを使いました。半年分で1セットになっていて、語形変化の多いロシア語を例外とすれば、この半年分でだいたいの文法は網羅されます。

とはいっても、ラジオを毎日聞くのはたいへんですので、私の場合には過去の放送のCDとテキストをオークションなどでまとめて購入し、一気に学習します。

このテキストのよいところは、まず音声が豊富に聞けるという点です。とにかく日本人の語学がモノにならない最大の理由は、音声の無視です。授業に出る間も惜しんで、とにかく音を聞いてください。

私は、高校時代の中国語講座から始まって、だいたい通学・通勤時間中に聞きつづけています。電車に乗ったら、とにかく反射的に音を聞き出すようにしているのです。1日1時間聞きつづけたら、初級の習得なんてあっという間です。

このラジオ講座は、毎日短い会話文のスキットがあるのもいい点です。つまり、実際の場面や文脈の中で、単語や文型を学ぶように設計されているのです。

具体的には、最初はテキストの文字を見ながらスキットを聞き、意味を理解します。2回目は文字を見ないで音だけに集中して聞きます。そして、数分間発音を練習します。この際に、伝えるべき内容を頭に入れてから、文字を見ずに相手に話しかけるつもりで訓練してください。結果的に、丸暗記よりも、こちらのほうがずっと効率がいいのです。

言葉を使用するためには、実際に使用するつもりで発音練習しなければなりません。形を覚えるための練習問題を解くのもよいのですが、その場合でも、書いて終わりにしてはなりません。必ず、練習問題の文を使って、文字を見ずに伝えられるか発音練習をやってください。これができないということは話せないということです。

基本はこのくりかえしです。ラジオ講座は半年分が1セットですが、ひととおり終えたら、もう半年分初級編をやってもいいでしょうし、また別の初級教科書に取りかかるのもいいでしょう。文法事項はほぼ学習済みなので、今度は最初から文字を見ずに音声だけ聞くところから始めましょう。その場合もスキットのあるテキストを選び、音声を中心に、文字を見ずに発音します。

同じレベルの別のテキストに進む

中学・高校などの語学テストで結果を出していた人の多くは、ひとつの教科書を完璧に理解しようと考えがちです。そのほうがテストで点が取れるからです。「9割方やったのに、残りの1割から出題された」と言い訳していたことはないでしょうか。

しかし、本当に言語を習得しようと思ったら、1冊を隅から隅までやるより、**8割の出来で、このテキストはいったん終わり**にして、同じレベルの別のテキストに進むのが、より効果的です。同じ文型や単語と、さまざまなシチュエーションで出会うことによって、記憶した言葉が使えるものになるのです。

「初級の次は、中級だ」と、ステロタイプに考える必要もありません。大切なことは、難度を上げることではなく、着実に語彙と表現の数を増やしていくことですから。

ラジオ講座半年分でひととおり終わった段階では、理解はできるようになっても、まだ使えるという段階には及びません。初級編2ターン目では、さらに使うことを意識した訓練を追加します。

最初のターンで覚えた単語を、2ターン目に登場した文型に当てはめて、入れかえの練習をする方法が、とてもよい訓練になります。この際にも、絶対に文字を見ず、目の前の誰かに向かって話すつもりでやることが大切です。

2ターン目には、「シャドーイング」を行なうことも有効です。シャドーイングとは、音声を聞いてそれをリピートする訓練です。最初のうちは音声を聞いた直後に同じセリフをリピートしますが、なれてきたら音声の終了後、ちょっと時間を開けてから、覚えた文をリピートする訓練をするとよいでしょう。一度にリピートする量を徐々に増やしていけば、話せるようになります。

この訓練をきちんと実践できたら、初級は完成です。旅行会話くらいなら、なんとでもなります。この初級の段階から、とにかく文字を見ないクセをつけ、学習した単語を入れかえて発話をできるかどうか、音声がきちんと身についているか、を気にしてください。この段階がきちんとできてから、次の段階に入れば、あとは語彙と表現の量を増やしていけばよいだけなので、上級者への道もスムーズに開かれます。

オーラル授業の実態

実際に外国人と喋った経験がないと、その感覚をつかむのは難しいかもしれません。そこで、お金や時間はかかりますが、海外に１カ月ほど行ってみて、外国語で話すということはどういうことかをつかむという選択肢があります。

外国語で話す感覚というのが一度わかれば、あとは日本にいても外国語能力は上げられます。言葉と世界とのつなげ方は、日本の教育課程では得ることが難しいのです。留学は、そこから脱却する格好の機会となります。

昔とは違って、いまは高校にも「オーラルの（音声の）授業」があり、カリキュラム上で会話の授業も増えてきてはいますし、大学に行けば会話のクラスはたくさんあります。ところが、この会話のクラス、かなり受験勉強したはずの大学生を相手にしても、“How are you? What do you like?”のような、中学生レベルの単純な会話から始められている状況がしばしばみられます。

また、伝統的な勉強法に慣れ切ってしまっている学生たちは、バーチャルで行なわれる会話では、なかなか本気で自分のことを話そうとはしません。せいぜい教わった決まりきったフレーズをそのままくりかえすだけです。しかし、実際の会話を想像すればすぐにわかることで、「私は中世ヨーロッパの歴史に興味があります」や「電池はどこに売っていますか」と話すことはあっても、「あの赤い屋根の上に止まっている鳩を見てください」などという会話をする機会は、絶対に訪れないわけです。

そして、日本の教室空間では、教師に外国語で問われると、完全にフリーズして黙り込んでしまうのが普通です。それで許されてしまうからです。この状態で、実践に投入されても、何を言ったらいいかわからなくなって、黙り込んでしまうのです。もはやコミュニケーションすらできていないといっていい状態です。自分がどういう人間かを説明することもできないのです。

というわけで、オーラルの授業とは名ばかり、通常は喋る内容をノートに書いてきて発表、というような形式を取らざるをえません。ほとんどおままごと状態です。外国語劇のようなことをやっているクラスもありますが、とりあえず口を使っているとはいえ、自分の伝えたいことを表現しているのでなければ、本当のコミュニケーションの練習にはなりません。

短期留学をする

実際に外国人と向き合うことになれば、とにかくジェスチャーでもなんでも、アーでもウーでも言う必要があります。

私は、高校3年の40日間の北京滞在で、言語と世界とのつなげ方がわかったのですが、とにかく言いたいことを伝えなければならないという、切羽つまった経験をしたことがない人は、教室で学んでいることと外国語を使えるようになるということが、まったくの別物であることを体で知ることが必要です。しかも、なるべく早いほうがいいのです。その後の人生が変わる可能性もあります。

しかし、せっかく多額の費用をかけて留学の機会を得ても、まったく話せるようにならない人も多くいます。過保護なプログラムが多く、子供に苦労をさせたくない親の気持ちはわからなくもないですが、では、なんのために外国にまでやるのかということです。できるだけ泣きたくなるような苦しい体験をひとりでやる方向を探してあげたほうがいいと思います。海外の語学学校やホームステイを考えている人もいるでしょうから、その際にどうしたらよいのか、体験を交えて紹介しましょう。

私は、ロシアのサンクトペテルブルクの語学学校に1カ月間、短期留学しました。だいたいの初級文法も語彙も学び終えてからの短期留学です。まったくの初心者では、1カ月という時間では足りません。初級をやるだけで終わってしまうからです。

ただし、最低限の構文と語彙を学習してから行くと、それが実際に使えるようになり、一気に語学力を伸ばすことができます。もちろんこれは、従来型の学習知識ではなく、初級の内容について音声を中心にした習得ができているという前提です。これは、日本にいてもできるわけです。何もないところで、とりあえず短期留学でもしてみたらと行ったところで、遊んで帰るだけです。

大学生の第2外国語でしたら、ちょうど1年から学びはじめて2年の夏休みか春休みに行くくらいが効果的でしょう。

さて、サンクトペテルブルクは、ソ連になる前のロシア時代に首都がおかれていたところで、ピョートル大帝によって18世紀に築かれた街です。京都や奈良などと比べると、歴史は浅いといえば浅いですが、それでも古い街並みや建物がそのまま残っています。

ホームステイ先には、56歳になるエレーナさんひとりしかおらず、たまにファンキーな娘さんが、いかつい彼氏と帰ってくるくらいでした。私の他に、ドイツ人の大学院生（男性）と、イタリア人の女性が同じところにステイすることになりました。

ドイツ人と私は途中からロシア語がうまくなったので、ロシア語で会話することが多くなりました。しかし、イタリア人とは最後まで英語でしか話しませんでした。そのとき通っていた語学学校は、なぜかイタリア人が多く、彼女は同じ国の人同士で夜な夜な遊んでいたため、最後までロシア語は上達しなかったのです。何のためにはるばる来たのでしょうか。こういうパターンは、日本人にもとても多いので、目的意識を忘れないことが大切です。

学校は、ステイ先から地下鉄の駅まで15分歩き、『罪と罰』にも出てくるセンナヤ広場で降りて、10分ほど歩いたところにありました。午前中に1時間半の授業を2コマ受け、昼ご飯を食べて帰るという毎日です。

最初の1週間は、授業後に街を探索し、文豪ゆかりの場所を訪ねる、ドストエフスキー散歩やゴーゴリー散歩も行ないました。実に美しい街ですし、『罪と罰』の舞台を実際に歩くのは文学好きにはたまりません。

ところが、中国の奥地や南米諸国、モロッコなどを訪ねていた私としては、はっきりいってパンチが足りない街でもあります。特に驚くようなことはありません。北国なので、郊外の景色も単調です。それに朝から授業に出ると疲れます。

ということで、途中からまっすぐ部屋に帰ることにしましたが、あまりに早く帰って来るとエレーナさんが怪訝そうな顔をします。普通の留学生というのは、なかなか部屋には戻ってこないものらしいのです。仕方なく近くの安いカフェでしばらく時間をつぶしてから帰るようになり、カフェのおばちゃんと仲良くなりました。結局、ロシアでも基本的には引きこもって勉強していました。

できるだけ多く長く表現する

ロシア語学学校で体験した授業について、少しお話ししましょう。短期でやって来る留学生は、やってくる時期も期間もまちまちなので、クラスの人数は毎週入れかわりました。いずれの週も５人程度の少人数です。

最初の週は、何週間もそこで過ごした人たちばかりのクラスに入ったので、私だけが慣れておらず、ついていくのに必死でした。国籍はイタリア人、フランス人、スエーデン人、ブラジル人、オランダ人と、おおむねヨーロッパ系の人たちです。

先生は、私とほぼ同年代の女性、カーチャさんでした。それほど高いレベルのクラスではないはずでしたが、カーチャは基本的にナチュラルな速度でロシア語を話すし、別の生徒たちもそれになんなくついていきます。

よく言われるように、欧米系の学生は授業中にどんどん質問するし、フリートークも盛り上がります。ロシア語がわからなければ英語を使ってでも、言いたいことをどう表現すればいいか聞いていきます。ここが、日本の教室空間ともっとも違うところです。どんどん喋っていこうと思うこと、そして、**できるだけ長く表現しようと思うこと**です。

授業の最初では、前日のできごとについて話すということがくりかえされました。私は途中からどこにも行かなくなったので、なんのエピソードもありません。しかし、それでは表現力を伸ばすための時間がムダになってしまいますから、前日にステイ先のおばさんが喋っていたことだとか、オリンピックの話題であるとか、何かしら考えてストーリーを組み立てました。

これを準備するときには、絶対に文字で書いてはいけません。頭の中だけでまとめてから喋ります。表現したいのにわからないという単語があれば、これはすぐに調べて頭に入れておきます。けっして調べた単語をメモに残して、それを見ながら喋ってはいけません。

慣れれば、こういった訓練はひとりでもできます。当然、最初のうちは言葉につまることが多いので、そうなったときに何を言うのかも事前に考えておきます。日本にいて、日本語で話す場合でも、話すことがないからといって、ずっと黙りこくっているわけにはいきません。

聞きとれなかったから沈黙するのではなく、どこがわからないか、わからない個所をリピートし、「〜はどんな意味？」と聞けばいいのです。そうすれば向こうが言い方を変えてくれるか、説明してくれます。

文を長く続けて話すためには、文と文とをつなげるための接続表現があります。実際に表現しようと思えば、非常によく使う言葉があるのにすぐ気づくはずです。その表現を確実に習得すれば、あっという間に喋れるようになります。

耳をつくる

私は、カーチャを捕まえて、ベースができるまで、とにかくたくさん話をしようとしました。話そうと思って話せなかったことは、すべて調べ、次のときには使えるようにしました。

短期留学のような滞在では、当然のことながら、覚えられる表現の量には限界があります。しかし、外国語と世界との結びつけ方、音声と世界との結びつけ方を理解するには、十分な時間です。

私の日本でのロシア語訓練（もちろん独学です）では、音声面が大きく不足していました。そこで、いったいネイティヴがどのように発音しているのか、徹底的に分析しました。カーチャ先生も、エレーナおばさんも、ナチュラルなスピードで話しつづけてくれたおかげもあって、2週間くらいでほぼ耳ができあがりました。最初はついていくだけでも必死でしたが、それからは聞き流してもわかるようになりました。

そうなると不思議なもので、授業はとたんに長く感じられ、3週間経つころには、もはや惰性になりました。そもそも私は授業に出るのが好きではないのを思い出しました。**音声の体系が頭に入ると、不思議なことに、あれほど頭に入らなかったロシア語の単語もするする暗記できるようになりました。**この点は本当に強調しておきたいところです。とにかく、死ぬほど音を聞くのが大切です。

私が「ロシア語ができるようになった」というのは、音声と世界との結びつけが完了したということです。ですから、もう日本で勉強してもどんどん表現が頭に入るし、その表現はたぶん使えるでしょう。問題は、いままでロシア語を使う機会が一度もなかったのに、今後もあるとは思えないということだけです。

大学等の語学教育では通常、「会話」クラスと、「リーディング・文法」中心のクラスに分かれ、比重は後者のほうが大きくなりますが、初級・中級レベルでこれらを分けるのは、いかにも日本らしい教育の仕方です。形や単語は、あくまでも文脈とコミュニケーションの中で覚えるべきであって、この段階で細かい文法説明を聞いてもムダであることを理解しなければなりません。

あるリーディングのクラスの先生が、「こんな授業に出ているヒマがあったら、本を1000ページ読め」と言ったそうです。この発言は完全に正しいと思います。単に講読をするだけならば、自分でやったほうがずっと効率的です。

そして、信頼できる教師をひとり見つけておいて、わからないところを聞くのがよいでしょう。どこがわからないかを自分自身で気づく方式のほうが、ずっと勉強になります。教師は利用するものなのです。利用できない教師はダメな教師です。

1日1時間半×2カ月

急げば1年、そうでなくても2年あれば十分に日常会話がこなせ、文章も読みこなせるようになります。多くの人はこれを特殊な能力のように思っていますが、それは誤解です。勉強の量と質が違うのです。

できるようにならない人は、同じ時間学習するにしても、ダラダラと少しずつやっています。

大学の第2外国語の授業の場合を考えてみましょう。週に2コマあるとして、年30週間の内容を学習すると、3時間×30週間で90時間はいちおう学習していることになります。

ところが、授業というのは、時間のムダが実に多いものなのです。日本の授業では、落ちこぼれを出すことが極端に嫌われます。このため、クラスの標準は勉強をする気がない学生に置かれます。つまり、その教室内で標準以上のやる気を持っている学生ならば、もっと分量を学習できるところを、同じところで何度も足踏みさせているのです。

同じ構文や単語に違ったシチュエーションや文の中で何度も出会うことによって使うことができるようになり、忘れにくくなるのが、語学ですが、授業というシステムの中では、規定された分量以外をやることはできないため、同じ内容が何度も反復されています。また、大多数の学生たちは、与えられた分量以外をこなそうとは考えません。

そして、まじめな学生にこそよくあることですが、与えられた分量の教科書を隅から隅まで完璧に反復し、細かい文法的説明を聞いて満足してしまいます。

こういう学生は受験の成功体験を持っているからかもしれませんが、考えを変えません。いくら勉強しても、これでは永遠に語学ができるようにならないままになります。

授業というのは、知識を与えることもできますが、**知識をその範囲内に制限してしまう**ものでもあります。むしろ、最初はやる気のあった学生をどんどんやる気のない学生に変えていってしまいます。同じところで反復しているのですから当たり前でしょう。本当に退屈ですから。

本気で語学に取り組みたい人は、(特に大学の) 初級の授業には出る必要はありません。むしろ出ないほうがいいでしょう。

では、大学の1年間のカリキュラムで足踏みしている90時間をどう使うべきでしょうか。有効なのは、短期集中です。「1日3時間×1カ月」か、「1日1時間半×2カ月」で集中して、一気にやることです。多少長く見ても、「3時間×2カ月」か、「1時間半×3カ月」くらいの集中度でやるべきでしょう。

これで、1年間かけてやる分量よりも、ずっと多くの効果をあげることができます。初級レベルの語学学習は、逆向きのベルトコンベアーを歩いていくものだと思ってください。ちょっと歩かないうちに、すぐもとに戻されてしまいます。対策はひとつです。歩みを止めずに一気にある段階まで突き進んでしまうことです。

その目安は、ひととおりの初級文法と音の体系を習得するところまでです。ソシュール言語学のところでもお話ししたように、言語とはひとつの体系です。ネットワークです。そのシステムの全体像がだいたい把握できるところまで一気にやってしまうと、不思議とその段階までは忘れにくくなります。

しかし、全体像を把握しないでやめると、もとの位置に逆戻りです。多くの学生は普段授業をよく聞かず、テスト前に1、2週間復習するだけでしょう。それでなんとかなってしまいます。逆に言うと、**1学期間もかけて、2週間程度で勉強できる分量しかやれていない**ということです。つまり、理論上では1年間の内容を1カ月でできてしまうということです。といいますか、実際にできます。このように考えると、語学が半年でできるようになるというのも、特別なことではないと思いませんか。

最近の教室では、これに加えて、「知識のデフレーション」という、恐るべき現象が起こっています。学生は与えられた量よりも少ない量しか勉強しないので、さらに量を減らしていきます。そうすると、負担が減って、みんなが低いレベルではあってもできるようになるのかというと、そんなことはありません。その少なく与えられた量よりも、さらに少ししか勉強しないので、またレベルが下がってしまいます。

中国語に限れば、ここのところ年々教科書が薄くなり、内容が減りつづけています。それなのに、授業数は増えていますから、時間のムダづかいも、はなはだしいというべきでしょう。

●マルチリンガルになる

複数の外国語を同時に学ぶ

バイリンガルという言葉をお聞きになった人は多いでしょう。2カ国語を自在に操ることのできる人です。日本人のそれは、ほとんどが日本語と英語のバイリンガルです。

さらに3つ以上の言葉を操れる人が、マルチリンガルです。本書は、どうしても英語と日本語の例が中心になっていますが、このマルチリンガルを目指す人のために書いているつもりです。私は、日本語を含めて言葉というものを理解するためには、実際に多言語を習得するのが、いちばんよい方法だと考えています。

「第2外国語なんて、やめてしまっていいのではないか」そんな声も聞かれます。「英語を徹底的にやったほうがよい」という主張には、一理あるように思われますが、私の考えは違います。

複数の言語を知ることは、言葉そのものに対する知識が増えることでもありますから、英語も相対化して見ることができるようになります。

外国語でなくても、日本語、古文、漢文を真剣に理解するだけでも、英語の習得によい影響が起こるでしょう。ひとつのものに集中することと、2つ以上のものを比較することは、よい相乗効果をもたらします。

ですから、何も英語からやらなければならないなんてこともないのです。私は中国語ができるようになってから英語の勉強を再開しましたし、さらにフランス語を並行でやっていました。英語だけ勉強しても、他の言語と同時に勉強しても、どうせ英語を勉強する時間に大差はありません。味を変えると集中力も復活します。別の言語は、別腹ならぬ「別頭」です。

ただし、私はこれまで10以上の言語を勉強したことがありますが、その経験をふまえれば、一度に勉強するのは2つまでにしておくのが無難です。それも、初級段階の外国語を2つ同時にやるのはお勧めしません。特にヨーロッパの言葉は、お互いによく似ている部分があるので、複数をいっぺんにやると、頭の中がゴチャゴチャになってしまいます。

全体的な音声の体系と文法の体系が頭に入るまでの第1ステージ、ここまではきちんとやらなくてはなりません。この段階が、慣れていないためにいちばん苦しいですし、すぐに忘れてしまいがちでもあります。

いったん中級レベルまで上がると、しばらく勉強しないで放っておいても大丈夫です。フランス語を中級レベルまで習得してから、スペイン語やイタリア語に移るのならば、その知識が応用できるので、あとは芋づる式に習得できます。

具体的には、中級以上のレベルの言語と初級レベルの言語の2つ、あるいは、中級レベル以上の2つを同時に勉強するのが、よいと思います。

学びやすい言語と学びにくい言語

では、学ぶ言語はどのようにして選べばよいのでしょうか。もちろん、先に学びたいものがあって、言語があとについてくる形は理想的です。ある国の文学を原著で読みたいために、そこの言語を習得したいというのは、まっとうな動機です。

とはいえ、やはり学びやすい言語と学びにくい言語というのはあります。

通俗的な本には、「日本語は世界的に見ても難しい言語だ」なんてことが、臆面(おくめん)もなく書いてあります。しかも、けっこう信じている人がいます。この説は、言語学的にいって大ウソです。言語類型論という分野があって、世界の言葉のさまざまな事項について似ている、似ていない、というようなタイプ分けをしているのですが、これによると、日本語はけっして特殊な言語ではないことがわかります(ただ、兄弟言語がひとつもわかっていないので、そういう意味では特殊ですが)。

ハッキリいって、言葉それじたいとして難しい言語などというものはありません。どこの言語を使う人でも、だいたい同じくらいの年齢で言葉を習得できますし、人間の能力には大差がないので、特に難しい言語を操る人々がいるはずがないのです。フランス語や英語は3歳で習得できるが、日本語やロシア語は5歳までかかるなんて話は、聞いたことがありません。

ただし、日本人にとって、学びやすい言葉、学びにくい言葉というのは、確実にあります。日本語の語彙は半分くらい漢語ですから、中国語は明らかに学びやすい言語です。韓国語も文法体系が似ている上に、漢語由来の語彙を使う点も共通しているので、比較的簡単です。

逆から見て、中国人や韓国人にとっても、日本語を習得するのはそれほど難しいことではないようです。たいへんすばらしい日本語能力を持つ中国人や韓国人を、私は何人も知っています。また、フランス語を習得するには、アメリカ人のほうが、日本人や中国人よりずっと容易でしょう。

一方、欧米の人から見たら日本語の習得は、たしかにたいへんだと思います。音声の体系もまるで違いますし、なにより漢字という障害があります。そういうところから「日本語は難しい」という誤解が生じているのにすぎません。いったん中国語や韓国語を習得した欧米の人であれば、日本語も容易に習得していきます。

それでは、私が習得した英語以外の言語について、学習の際のポイントを述べていきましょう。

中国語を学ぶ——とにかく音声第一

私が専門としている言語です。日本人にとって、もっとも学びやすい言語のひとつでしょう。中国語で難しいのは音声です。といいますか、難しいのは音声だけです。とにかく、初級から中級にかけてのうちに、中国語の音を頭に入れてしまえば、一気に上級者まで駆け上がれます。

さて、その音声です。基本的には「子音+母音」でひとつの音節がつくられますから、英語などのように子音+子音+母音+子音なんていうような子音がやたらとくっついてくる音節はありません。

しかし、中国語には、「声調」と呼ばれるイントネーションがあり、これがキチンと発音できないと聞きとってもらえません。標準中国語では4つの声調があり、それぞれ高く長く伸ばす第1声、下から上に上がる第2声、低く抑える第3声、高いところから低いところに落とすリズムが第4声です。この「四声」が変わると、意味もまったく変わってしまうのです。

例えば、“ma”という音を第1声で出せば「母」の意味、第2声で出せば「麻」と書いて、「しびれる」の意味、第3声で出せば「馬」の意味、第4声で出せば「罵」という字を書いて、そのまま「罵る」という意味です。ですから、「お母さんが馬を罵る」という文は“ma”ばっかりでつくることができます。中国語文の発音をカタカナで表記できないのは言うまでもありません。

中国語では漢字1文字と、ひとつの音節とが対応しています。漢字というのは、ひとつの概念を表わします。つまり、ひとつの音節がひとつの意味単位となっているということです。

中国語の発音が難しいとされる理由は、極端に短い音節で意味を表わしているために、不正確な発音だとまったく理解されないということです。きちんとした発音は英語だって難しいものです。ただ英語は、発音を間違っても通じることもありますが、中国語ではそうはいきません。

とはいえ、日本語の音読みで同じ音ならだいたい中国語でも同じ音ですし、慣れてくれば中国人と間違えられるくらいの発音もできるようになります。

文法的には孤立語といって、基本的に語順だけで表わします。ですからヨーロッパの言語のように形が変わることはありません。したがって、中国語の学習に英語の文法問題のようなパズルゲームは、ほとんど無意味です。

過去形も未来形も受身形もありません。それらは、副詞や助詞をつけて表わされます。同じ形の語が動詞になったり、形容詞になったり、名詞になったり、副詞になったりします。形の変化がないぶん、文脈で判断することがらが非常に多いので、やはり字幕つきテレビドラマが、もっともよい教材です。漢字の読み方がわかる上に、文脈から言葉を覚えられます。

語彙面では、漢字が意味を表わしますが、漢字の意味じたいは、漢語として日本語に入っていますから、理解が簡単です。

英語などでは、ひとつの単語に対してたくさんの意味（日本語訳）が出てきました。これは、日本語と英語では世界の分け方が大きく異なるので、ぴったり対応する日本語がないからでした。ところが、中国語の辞書を見ると、並んでいる訳語は相対的に多くありません。日本語の中に入っているからです。

ですから、問題は本当に音声だけです。最初のうちに苦労して音声を覚えれば、中級レベル以降は語彙をどんどん増やすことができます。

例えば、「教室」という中国語の単語を学習したとします。これは日本語と同じ「教室」で、発音は“jiào shì”です。「教会」も同じ「教会」で“jiào huì”、「コーチ」は「教練」で“jiào liàn”となります。「練」を学べば、「練習」がやはり日本語と同じで“liàn xí”、「習」を学べば、「学習」も日本語と同じで“xué xí”、「習慣」も同じく“xíguàn”などなど、多くの単語が漢字の組み合わせによってできあがっています。

どの言語でも構文の数というのはそれほど多いものではなく、中級以降になると使える語彙の数と表現の数を増やしていく作業になりますから、この作業が、中国語では他の言語に比べて非常に簡単なのです。

ただ、漢字でなんとなくわかってしまうために、多くの学習者がどうしても文字に頼ってしまいます。そういうこともあって、大学の期末試験などはなんとか突破できてしまいます。しかし、残念ながらそこで安住してしまった人は、中国語ができるようにはなりません。文字を見れば簡単だからこそ、とにかく音、音です。音さえ自在に操れるようになったら、日本人にとってこれほど簡単な言葉はありません。

特に読解は楽で、高いレベルになってくると、はじめて見る単語でも、漢字のおかげで意味がわかってしまうということも生じます。書かれた文の斜め読みが自由自在です。構文レベルでも、日本語は長らく漢文という形で受け入れて来ましたから、日本語への翻訳は相対的に簡単です。

昨今の政治的対立や、反日デモの影響などで、反・中国、反・韓国の動きが急速に広がっていますが、そういう人にこそ、ぜひ中国語か韓国語に取り組んでもらいたいところです。反日を唱(とな)えている中国の若者たちは、現在の日本のことなんてまったく知りませんし、世界がどうなっているかまったくわかっていません。まったく幼稚な人たちです。煽情(せんじょう)的な情報を増(ぞう)

幅(ふく)させて、イメージをつくり上げ、知っているつもりでいます。その中で語られている日本像は、反・中国を唱える人たちがつくり上げている中国像ととても構造がよく似ています。

まず中国語を学び、実際に中国に入っていってみてください。私は言語をたくさん学び、バックパックを背負って世界中を旅行して回ったことで、価値観が大きく変わりました。知らないということは、ただ無知で済む問題ではありません。

日本にだけ閉じこもっていては、世界のこともわからないし、実は日本のこともわかりません。反・中国や反・韓国を熱心に訴えている人たちは、なぜかその国のことをよく知っていると思いこんでいるようですが、反日デモをやっている中国人たちも、同じように日本のことを知っていると思っています。

日本人ならまず日本文化を知って、その上で外国人と接すべきだとか、日本文化は世界にも例を見ないほどすばらしいから、いつか向こうが尊敬のまなざしを持つようになるとか、とんでもない自画自賛(じがじさん)をしている人を見かけます。こういう人たちは、中国や韓国にもいるわけです。勝手に空想した「外国」のイメージから反転させて、「私たちの国家、私たちの民族」という幻想をつくり出しているだけです。相対的な目線を得なければ、外国のことも日本のこともわからないものです。

いますぐ外国語を勉強して、実際に外国に行って、現地の人たちと大いに交わってください。

韓国語を学ぶ――「語順が同じだから簡単」というわけではない

私の韓国語はまだ習熟段階ではありません。きわめて常識的な知識になりますが、その文法体系は「膠着語」(こうちゃくご)といって日本語の「テニヲハ」にあたる助詞を使うタイプの言語であり、語順もとてもよく似ています。さらに敬語の体系もあります。

語彙面では、中国語から入った漢字由来の語彙と、韓国語の本来語（日本語の和語にあたるもの）がありますが、漢字語彙は日本語ととてもよく似ており、習得は容易です。

文法体系が近い言語としては、朝鮮半島の隣の中国東北部に住んでいた満州族の言語（満州語）、さらにその先にあるモンゴル語、西に行ってトルコ語あたりまでがあげられます。かつてはウラル・アルタイ語族といって、なんとかしてこれらが兄弟言語（つまり、もともと同じところから分かれたもの）であることを示そうとしました。現在では、この説は否定されています。

韓国語と日本語はよく似ていますが、基礎的な語彙を見るかぎり、対応関係があまりなく、もとは同じ言葉であったと断言することは難しいようです。ただ、個別の単語レベルになると、音の対応関係がある語も多いように感じます。古代において、朝鮮半島から現在の日本列島への人の出入りはかなりあったようですから、地理的な関係からいっても、韓国語から和語になった言葉があるのではないかと思いますが、詳しくはわかりません。

ちなみに、漢語ではなくて和語（本来の日本語）とされている語彙でも、元来は中国語から来ただろうと思われる言葉ならわかっています。

例えば、「馬」や「梅」です。これらは、現在の中国語でも、それぞれ“ma”、“mei”と発音します。和語の音は“uma”、“ume”ですから、よく似ています（“m”の音は唇を使って出す音なので、やや丸めて出せば“um”に近い音になります。また、本来の和語に“ei”のように母音が重なる単語はないので、“ei”とは発音できず、“e”になったと推定できます）。また、「竹」は音読みで“tiku”ですが、“take”と子音が同じで、これも中国語由来の言葉だろうとされています。「梅」も「竹」も「馬」も、中国大陸から来たものだから、当たり前かもしれません（『魏志倭人伝』にも、倭国には「馬」がいないと書いてあります）。

私は、韓国語と中国語と日本語の関係を、楽しく観察しながら勉強しています。中国語の“L”で始まる単語も、韓国語では“L”が落ちてしまいます。「料理」は「ヨリ」みたいな発音になっています。考えてみると、和語も「ラ行」で始まる単語はありません。しりとりで「ラ」が出てくると困りましたね。私の携帯のアドレス帳を見ても、「ラ行」に登録されているのは李さんとか、林さんとか、みんな中国人です。

韓国語と中国語を勉強すれば、日本語の深い理解にもたいへん役立ちます。アジア言語は、アジアの日本においてすら、ヨーロッパの言語に比べてマイナーですが、言葉に優劣はありませんし、言葉を研究する上でヨーロッパの言葉ではない言語を知っているのは有効だと信じて勉強中です。

なお、「語順が同じだと学習しやすい」とよく言われますが、私はそうは思いません。S（主語）＋O（目的語）＋V（動詞）だろうが、S（主語）＋V（動詞）＋O（目的語）だろうが、語順のパターンは比較的単純なので、むしろその他の要素によって、学びやすいか学びにくいかが決まってくると思います。モンゴル語やトルコ語は日本語と同じ語順で、同じ膠着語のグループですが、簡単だとは思いません。まったく未知の語彙の体系を覚えなければならないからです。

ロシア語を学ぶ――日本人には難しい言語

私が勉強した中では、最難関の言語です。大学の必修課目で何かひとつ選ばなくてはならないとしたら、あまりお勧めはしません。しかし、ロシア語圏は意外に広く、昔はソ連だった中央アジアの国々や、東ヨーロッパ諸国の人たちはロシア語ができます。

中央アジアは、カザフスタン、トルクメニスタン、ウズベキスタン、タジキスタンなどなど、スタンがつく国などによって構成されています。私は、「カザフ人のアリ」と、「ウズベク人のアリ」の2人と知り合ったことがありますが、彼らの間ではロシア語で話していました（いまだに、どちらのアリがカザフ人だったか思い出せません）。

東欧の国々でも、アゼルバイジャンとか、モルドバとか、そのあたりの国の人もロシア語ができます。私が北京にいたときの2人目のルームメートがモルドバ人でしたが、彼はいつもロシア語で話していました。

ロシア語は、広くはインド・ヨーロッパ語族なので、英語やフランス語などの遠い親戚ですが、より近いのはスラブ系の言葉です。いまはもうなくなってしまったユーゴスラビア（「南スラブ人の国」という意味の国名）の主な言語はロシア語に似ていますし、やはりウクライナ語なども同じ仲間です。私は旧ユーゴ出身のクストリッツァという映画監督が大好きなのですが、ロシア語がわかるようになってから、彼の撮影した映画のセルビア語がだいぶ聞き取れるようになって嬉しいです。

ロシア語が難しいのは、とにかく変化形が多いという点につきます。まず、動詞の現在形が主語の人称によって変化しますし、ひとつの動詞が「完了体」と「不完了体」という2つの形を持っているので、それぞれ原型と活用形を覚える必要があります。

そして、何よりもたいへんなのは、形容詞と名詞がそれぞれ「格変化」することでしょう。名詞には、女性名詞、男性名詞、中性名詞、複数があり、それぞれ6個の格があります。名詞も同様に修飾する名詞の格に応じて変化します。それさえ覚えてしまえばいいじゃないかという考え方もありますが、男性名詞の「与格」と女性名詞の「対格」が同じだったりもします。とにかく頭をゴチャゴチャにさせるような要素がいっぱいあり、会話のとき、名詞と形容詞を同時に正確に活用させるための訓練が必要です。

また、数字すらも格変化するほか、一がつく名詞は単数の主格にするのですが、二と三と四がつく名詞は「単数生格」という形、五以上の数字がつく名詞は「複数生格」という形にしなければなりません。とにかくこういったものを頭に入れるまでの初級の負担は非常に大きくなります。

ある程度高いレベルにまで行けば、あとは他の外国語とそれほど難易度の差はなくなると思います。

ヨーロッパの言語は、もとはこのような変化形をたくさん持っていましたが、英語はたくさんの民族が衝突したことで、大半の変化形を失いました。歴史的に見て、外国語として使う人が増えてくると、こういう事態はよく起こります。変化が多すぎると、外国人が習得しづらいからです。そのかわり英語は前置詞を発展させ、語順が固定されてしまいました。

一方、格変化を多く残しているロシア語やスラブ系の言語、ラテン語などでの語順は比較的自由で、目的語や動詞を先頭に出すことも可能です（コミュニケーション上、話題になっていることが前に来て、焦点が当たる語が後ろ側に来る傾向にあります)。

ヨーロッパの言語というと、S＋V＋Oの語順が基本だと思いがちですが、ラテン語はS＋O＋Vが基本的な語順であったらしいです（ドイツ語の不定形にも、かつてはＳ＋Ｏ＋Ｖであった痕跡が残っています)。日本語はＳ＋Ｏ＋Ｖで英語はＳ＋Ｖ＋Ｏだから、これが根本的な違いだとみなす人もいますが、必ずしもそうとはいえないようです。

ロシア語の発音じたいはそれほど難しくありません。しかし、最初は聞き慣れない音なので、とまどうでしょうし、子音の連続が多いという特徴があります。

また、独学の際に苦労するのは、活用形をどう発音するのかが、いまひとつよくわからない点です。文字どおりには読まない言葉もあります。音声で聞きたいところなのですが、活用形の発音まですべて載せているCD教材は見つかりませんでした。

マイナー言語の場合、独学する際の材料面で劣るところがあるので、初級編でも授業に出るのがいいかもしれません。私はそういう授業に出たことがないので、想像になりますが、ひたすら活用形を暗記させられる退屈な授業になると思います。これは仕方がありません。活用形を暗記しないかぎり、手も足も出ないからです。

語彙面では、基本となるのはスラブ系の語彙で、これまた、日本人には見たことも聞いたこともない音の響きであるため、慣れるまで暗記もたいへんです。ただ、ロシアの宮殿ではフランス語が用いられていた時期があるため、硬い言葉はフランス語起源の言葉も多く入っていますし、そういう言葉はたいてい英語にもなっています。なぜかドイツ語起源の言葉も見られます。こういった語と出会うと、ホッとすると思います。

ロシア語は、とにかく活用形と、スラブ系の基本語彙の形態素をきちんと学ぶところまでやらなくてはいけません。

フランス語を学ぶ――話すぶんには、活用も比較的容易

ヨーロッパの国の言語では、英語の次に勉強した言語です。高校3年のとき、ドイツ語と同時に履修して両方沈没した経験があります。高校時代の私は、英語をまったく勉強しなかったので、まじめな受験生との学力差が大きいだろうと思い、大学に入学したてのころは、心配でした。

ところが、文学部の規定をよく見ると、必修語学は2つ取れと書いてあるだけで、どこにも英語と第2外国語を取るようにとは書いてありません。そこで私は、中国語の上級コースとフランス語を取りました。フランス語はリードがあるぶん、勉強しなくても余裕

でしたが、退屈でした。１年の足踏みののち、大学２年のときに一念発起し、１年間ラジオ講座で猛勉強しました。

３年時には北京留学を挟みましたが、フランス語の授業に出ました。たいへん厳しく、フランス語で話しまくるフランス人の先生です。語学の習得には打ってつけなのですが、大半の学生は恐れをなして、履修者も数人しかいません。毎回会話の練習がたっぷりできて快適でした。どうせ出るなら、こういう授業を探したいところでしょう。

成績が心配なら、単位の履修をせず、出席だけすればいいのです。私はそうしました。授業に全部出て、何が何でもまじめにやることを生きがいとしている人もいるようですが、勉強というのは成績のためにやるのではなくて、自分のためにやるものです。一方、カリキュラム上取らなければならないだけの、退屈な授業はできるかぎりさぼり、浮いた時間をやるべきことに費やしたほうがいいというのが私の考えです。

さて、フランス語の特徴です。フランス語はラテン語の子孫ですから、スペイン語やイタリア語、ポルトガル語などと親戚関係にあります。英語とドイツ語はゲルマン語系なので、やや異なりますが、フランスがイギリスを長いこと征服していたこともあり、英語との関係は深くあります。ですから、英語とフランス語ではたくさんの語彙が共通しています。

このため、英語の能力が高い人ならば比較的覚えやすいですし、私のように、フランス語を勉強してから英語に入っても、高い相乗効果が得られます。

例えば、フランス語の「ありがとう」は“merci”(メルシー) です。フランス語学習者でなくても聞いたことがあると思います。この語はもともと「商品」を表わす語でした。それが連想で「報酬」の意味に転化し、さらに連想で「神の恵み」に変わった言葉です。英語では“mercy”(神の恵み) に直接つながっているほか、“commerce”(商品)、“merchant”(商人)、“commercial”(コマーシャル)、“market”(市場) などにもこの語が表われています。言葉のつながりはおもしろいです。

文法面は、英語と似ている部分も多くありますが、活用形はやや多くあります。特に動詞の変化が多く、よく使う単語は不規則な変化をしますから、初級のうちはこれを暗記するのが、ややたいへんです。ただ、綴りの上では書き分けても、音声上はすでに同じになっているものも多いので、話すことから考えると、ロシア語などに比べればそれほど厄介ではありません。とにかくこの初級の暗記をきちんと済ませてしまえば、英語の知識との関連で、一気に力を伸ばすことが可能な言語だということです。

発音はアクセントが平板なため、英語よりも「ネイティヴらしく話す」ことが可能です。フランス語圏は、フランス以外に北アフリカなどがあります。このうちモロッコに行ったことがありますが、砂漠の民ともフランス語で中国式に交渉して、「おまえ、ベルベル人みたいなやつだな」と言われたことがあります。私はベルベル人にちょっと親近感を持ちました。

ドイツ語を学ぶ——英語より、英語らしい？

私がドイツ語を授業で履修したのは、高校3年の1年間ですが、フランス語や中国語との同時学習だったので、まったく覚えられませんでした。こういう方法はお勧めしません。

のちに独学で初級編を学習し、『ハリーポッター』をドイツ語で読んだので、辞書があれば本はなんとか読めます。ただし、会話の訓練はしていません。いまのところ、7つ目の習得言語にカウントしていますが、それほどできるわけではありません。ただいま勉強中というところです。

ドイツ語は、英語と同じ系統の言葉です。ところが英語のほうがフランス語などにだいぶ変えられてしまったのに対し、ドイツ語はなぜかラテン系の語彙を嫌っているところがあります。ですから、古い英語のほうが語彙面では比較的ドイツ語に近くなっているくらいです。

例えば、「印象」という単語は“Eindruck”と言いますが、これはフランス語の“impression”を直訳した語です。英語はフランス語をそのまま取り入れているのに対して、ドイツ語はそうしていないことがわかります。

文法面は、英語に近いので比較的学びやすいでしょう。動詞の変化はありますが、フランス語と比べても規則的です。名詞につく冠詞が格変化しますが、これもパターンは限られています。

スペイン語を学ぶ――日本人には、覚えやすい

あるとき、コロンビアの作家、ガルシア＝マルケスの小説『百年の孤独』に出会ってしまったのが、始まりです。あまりにも強烈な印象を受け、ああ、俺はスペイン語を勉強しなければならない、と思いました。それから数年がかりで、原書の『百年の孤独』を全部読むというプロジェクトに取りかかり、完遂しました。

スペインは大航海時代、真っ先にアメリカ大陸を征

服しましたから、中南米地域のほとんどがスペイン語圏になっています（ブラジルはポルトガル語)。20世紀後半、文学の世界では南米の世紀といっていいほどのブームが起こりました。私も専門は中国ですが、文学ということなら、南米のものがもっとも好きです。おそらく世界の中国文学研究者の中でいちばんラテンアメリカ文学に詳しいと思います（そんな人、少ないでしょうけど)。

というわけで、南米各地を回ってきましたが、とにかくラテン系の人たちは陽気ですから、見ず知らずの旅行者にもどんどん話しかけて来ます。スペイン語ができるととても楽しいです。

さて、言葉の特徴ですが、ラテン語の子孫なので、近いのは、イタリア語やポルトガル語です。これらの言語とは、本来的には方言レベルの差しかありません。フランス語とも同じ系統なので、どちらかのレベルが高くなってから学習すると、かなりスムーズに覚えられます。私は、フランス語を習得してからスペイン語に入ったので、スペイン語はもっとも速く身につきました。

まず文法面です。やはり動詞が主語の人称にあわせて変化しますが、かなり規則的な変化なので、フランス語よりは覚えやすいです。過去形なども規則的で、話すのにもそこまで難しくはありません。

また、動詞を見れば主語の人称がわかるということもあり、ヨーロッパの主要言語の中では、珍しく主語を省略します。といいますか、ほとんど主語を言うことはありません。語順も比較的自由で、主語が文末につけ足されるようにして出てくることも少なくありません。

この点、フランス語は語順を入れかえることも、省略することもほとんどできない言語なので、対照的といえるでしょう。ラテン語はもともと語順が自由であったことを考えると、フランス語のほうがそれを固定したということになります。

名詞には女性名詞と男性名詞があり、それぞれ覚えなくてはなりませんが、語尾が“a”になっているのが女性、“o”となっているのが男性で、例外がきわめて少ないので、簡単です。

比較的少数のよく使う動詞は不規則な変化をします。例えば、「行く」の原形は“ir”ですが、主語が1人称だとなぜか“voy”、2人称だと“vas”、3人称だと“va”です。ちなみにフランス語だと「行く」の原形は“aller”でまったく違いますが、1人称は“vais”、2人称は“vas”、3人称は“va”で、活用形になると、驚くほど似ています。さらに、フランス語の“aller”は単純未来形の活用形も“irai”、“iras”、“ira”です。こんなところに、スペイン語の原形である“ir”が登場しますから、やはりフランス語とスペイン語のどちらかを知っていれば、もう一方も学習しやすくなるというのがわかります。

次に発音です。スペイン語は日本人にとって、もっとも簡単な言葉だと言ってもいいくらい簡単です。音声の体系がなぜか日本語に近いので、カタカナ発音でも大丈夫なほどです。英語は単語ごとにアクセントの位置が違うので、それぞれ暗記しなくてはなりませんが、スペイン語ではそんなこともなく、一定です。リズミカルに強く読めばそれでオッケーで、簡単かつ愉快です。

語彙面は、やはりラテン系ですから、フランス語やイタリア語とかなり共通しますので、フランス語から英語に入ったラテン語系の言葉の多くがスペイン語にもあります。そういう単語は覚えやすいです。ちょっと特徴的なところは、アラビア語経由の言葉が多く入っているところでしょう。イベリア半島はイスラムの勢力範囲内に長らく置かれていたためです。

言語と方言

ポルトガル語とスペイン語、イタリア語は、もともとと方言レベルの違いだということを書いたので、「〜語」と呼ばれるものと、方言の差についても話しましょう。

厳密に言えば、ひとつの言語なのか、方言なのか、という線引きはできません。政治的体制や歴史との関係で決まってくるところがあります。スペインとポルトガルは王国として別々の歴史を歩んできたことが大きいのですが、より大きな区別の根拠は、規範としての書き言葉が制定してあるということです。「これが正しいスペイン語、これが正しいポルトガル語」というふうに制定されているので、別々の言葉といえるのです。

一方、沖縄で話されている言葉は、関東の言葉などと比べるとかなりの隔たりがあるにもかかわらず「方言」です。もし、琉球王国が独立を保ちつづけたならば、別の言語としてカウントされた可能性もあったでしょう。また、琉球王国は和語とは別の書き言葉を持たず、「これが正しい琉球語」のようなものを制定しませんでした。このため、同じ系統である和語の「方言」に組み込まれやすくなっています。

中国の状況も同じです。あれほど広い国ですから、方言は多様で、一般に7大方言区域に分けられています。この方言の違いは、日本語の方言の違いなどというようなものではなく、相当に違います。違う方言区域の人にはまったく通じないといってもいいでしょう。

北京方言と上海方言、広東方言の差異は、たぶんスペイン語とポルトガル語の差異よりも大きいと思います。しかし、扱いは「方言」となっています。これも、同じ中華文明の圏内に置かれ、同じ文章語を用いていたからに他なりません。広東語などは、最近では文字化されることもあるようになりましたが、もとは話し言葉でしか存在していませんでした。

よく、「日本語が滅びる」というようなことが主張されます。たしかに、欧米言語が大量に入ってくることによって、日本語は日々改変を余儀なくされています。しかし、書き言葉としての日本語を持っていること、それも古典から脈々と歴史を持っていること、その事実は、将来にわたって「日本語」を保持するのには有利になります。万が一、日本の公用語が英語になったとしても、書き言葉を持っている日本語はそう簡単に消滅させられないと思います。そういう意味では、古文や漢文の教育が大切になってくるでしょう。

おわりに

私の研究の原点は高校時代にあります。

最初の期末試験後、私の担任教師は試験を返却しませんでした。当然、生徒たちは点数が気になるので、テストはどうなったのかと聞くと、「べつにいいじゃない」という答えが返ってきました。別のある先生も「2点や3点変わったところで成績は変わんないから、ちょっとくらい採点が違ってても、文句を言うな」と言い放ちました。1点を争う厳しい受験勉強を経て入学した私は、たいへん衝撃を受けました。

授業も個性的なものが多く、「教科書に書いてあることなんて読めばわかるんだから、授業でやってもつまらない」と、マニアックな授業が展開されました。とにかくやりたいことをやるのが校風でした。最近は時代の流れを受けて、昔ほどの自由度はなくなってきていますが、それでも、「聞いてない奴はどうせ聞いてないんだから、他の全員が見逃し三振でも、何人かが満塁ホームランを打ってくれればいい」という考え方は、まだ残っています。

そして、いまでも私が信条にしているのが、「君たちは勉強をするな。学問をしろ」という言葉です。学問をしろというのは、つまり、これを覚えろと言われたことを覚え、与えられる「正解」を覚えるのではなく、自分自身で何をどう学ぶかから考えろということです。「正解」は自分でつくり出すものです。

ところが、大学はそういうところではありませんでした。書いてあるのを読めばわかることを話しているだけ、教科書をなぞるだけの授業、評価の仕方だけ気にする学生。腹が立つことばかりでした。退屈な授業しかできない教師にかぎって、授業に出てこいと言います。いまは教える立場になっているので、あまり大きな声では言えませんが、腹が立っているのは同じです。

大学入試を控えている生徒は、とにかく大学に合格しなければならないのですから、つべこべ言わなくても勉強しますが、大学生にはそういう縛りはないのですから、勉強しないのは当たり前です。与えられたことを従順にこなしているだけの学生の語学力はお粗末なものです。できるようになりたいと思ったら、そこから抜け出さなければなりません。

知識は自分で得るものであって、与えられるものではありません。自分の頭で何をどう勉強するか考え、試行錯誤をしてできあがったものは、語学に限らず力が違います。本書がみなさんの学習の支えになれば、こんなに嬉しいことはありません。特に若い読者のみなさんは、まだこれからさらなる可能性がありますから、ぜひとも満塁ホームランを打ってください。

一〇〇字書評

切り取り線

購買動機（新聞、雑誌名を記入するか、あるいは○をつけてください）

□（　　　　　　　　　　　　　　）の広告を見て
□（　　　　　　　　　　　　　　）の書評を見て
□ 知人のすすめで　　□ タイトルに惹かれて
□ カバーがよかったから　　□ 内容が面白そうだから
□ 好きな作家だから　　□ 好きな分野の本だから

●最近、最も感銘を受けた作品名をお書きください

●あなたのお好きな作家名をお書きください

●その他、ご要望がありましたらお書きください

住所	〒				
氏名		職業		年齢	
新刊情報等のパソコンメール配信を 希望する・しない	Eメール	※携帯には配信できません			

あなたにお願い

この本の感想を、編集部までお寄せいただけたらありがたく存じます。今後の企画の参考にさせていただきます。Eメールでも結構です。

いただいた「一〇〇字書評」は、新聞・雑誌等に紹介させていただくことがあります。その場合はお礼として特製図書カードを差し上げます。

前ページの原稿用紙に書評をお書きの上、切り取り、左記までお送り下さい。宛先の住所は不要です。

なお、ご記入いただいたお名前、ご住所等は、書評紹介の事前了解、謝礼のお届けのためだけに利用し、そのほかの目的のために利用することはありません。

〒一〇一-八七〇一
祥伝社黄金文庫編集長　萩原貞臣
☎〇三（三二六五）二〇八四
ohgon@shodensha.co.jp

祥伝社ホームページの「ブックレビュー」からも、書けるようになりました。
http://www.shodensha.co.jp/bookreview/

祥伝社黄金文庫

7カ国語をモノにした人の勉強法

平成30年11月20日　初版第1刷発行

著　者　橋本陽介

発行者　辻　浩明

発行所　祥伝社

〒101－8701
東京都千代田区神田神保町3－3
電話　03（3265）2084（編集部）
電話　03（3265）2081（販売部）
電話　03（3265）3622（業務部）
http://www.shodensha.co.jp/

印刷所　萩原印刷

製本所　ナショナル製本

　ISBN978-4-396-31746-1 C0195

祥伝社黄金文庫

中村澄子
新TOEIC®テスト スコアアップ135のヒント
最強のTOEIC®テスト攻略法。基本から直前・当日対策まで、もっとも効率的な勉強法はコレ！

中村澄子
1日1分レッスン！新TOEIC® TEST 千本ノック！3
カリスマ講師・中村澄子が出題傾向をさらに徹底分析。時間のないあなたにピッタリの厳選150問。

中村澄子
1日1分レッスン！新TOEIC® TEST 英単語、これだけ 完結編
厳選単語シリーズ第三弾。本当に試験に出る単語を効率よく覚えられるよう工夫された、究極の単語本。

中村澄子
1日1分レッスン！新TOEIC® TEST 千本ノック！4
基本、頻出、難問、良問。カリスマ講師が厳選した132問で勝負！　単語も文法もリーディングも、これでOK！

中村澄子
1日1分レッスン！新TOEIC® TEST 千本ノック！5
出ない問題は時間のムダ！　最新の出題傾向がズバリわかる最小、最強、最適の問題集！

中村澄子
1日1分！やさしく読めるフィナンシャルタイムズ&エコノミスト
「TOEICだけでは世界で取り残される！」本書で、世界のビジネス最新情報を英語でサクッと読みこなせるようになろう！